Eckhard Grundmann

Deine World-Life-Balance

Ein Weltbild im Klimawandel

Begleitende Website' zum Buch'

Bibliografische Information der Deutschen Nationalbibliothek': Die Deutsche Nationalbibliothek' verzeichnet diese Publikation in der Deutschen Nationalbibliografie'; detaillierte bibliografische Daten sind im Internet' über dnb.dnb.de abrufbar.

Die automatisierte Analyse des Werkes, um daraus Informationen insbesondere über Muster, Trends und Korrelationen gemäß §44b UrhG („Text und Data Mining") zu gewinnen, ist untersagt.

© 2026 Eckhard Grundmann
Illustrationen: Miriam Kramer
Verlag: BoD · Books on Demand GmbH, Überseering 33, 22297 Hamburg, bod@bod.de
Druck: Libri Plureos GmbH, Friedensallee 273, 22763 Hamburg
ISBN: 978-3-6957-4771-9

Inhalt

Vorwort
Die Größe der Welt   10
Die Größe der Luft   30
Unser Umgang mit Tsunamis   60
Junkies   73
Verschwörungslügen   92
Das Spiel Ihres Lebens   107
Danke!

Vorwort

Wahrscheinlich haben Sie selten ein Buch' über Weltbilder gelesen, denn das Thema ist einfach zu undynamisch: Bis ins 17. Jahrhundert stand die Erde im Mittelpunkt der Welt. Dann löste das heliozentrische Weltbild das geozentrische ab 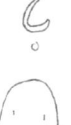 und die Sonne Stand im Mittelpunkt. Seit etwa hundert Jahren wissen wir aber, dass die Sonne nur ein mittelmäßiger Stern in einer mittelmäßigen Milchstraße ist. Im aktuellen Weltbild sind wir nur noch ein Staubkorn in den Weiten des Weltalls. Damit ist die Diskussion seit hundert Jahren beendet. Was soll dann dieses Buch'?

Wenn Sie sich diese drei Weltbilder anschauen – das geozentrische, das heliozentrische oder das Staubkorn-Weltbild – dann ist es egal, welches Sie nehmen: Das Bild der Erde ist statisch. Sie bleibt immer eine unwandelbare Schönheit. Seit mindestens drei Jahrzehnten haben wir aber die Situation, dass eine große Forschungsgemeinde immer wieder diesen wissenschaftlichen Konsens bestätigt: Die Erde verändert sich und wir Menschen sind die Verursacher dieser Veränderung. Von daher ist es an der Zeit, eine Diskussion über ein dynamisches Weltbild durch den menschengemachten Klimawandel zu beginnen.

Dieses Buch' bietet Ihnen wie ein Sachbuch' Bilder der Erde an. Die Bilder sollen Ihnen physikalische Tatsachen anschaulich verdeutlichen. Dabei sollen die Grenzen der Erde durch ungewohnte Perspektiven so unmissverständlich klar werden, dass Sie die Ergebnisse der Klimaforschung möglichst nicht als Überraschung, sondern als vorhersehbar betrachten können. Wir müssen wieder neu lernen, mit unseren begrenzten Ressourcen in Balance zu leben, denn die World-Life-Balance ist verloren gegangen.

Ein Weltbild darf keine wissenschaftlichen Abhandlungen umfassen, sondern es muss eine griffige Kurzformel bieten, die allgemein verstanden und akzeptiert werden kann: Ob „die World-Life-Balance ist verloren gegangen" eine solche Kurzformel werden kann?

Im Buch' verwende ich die persönliche Anrede, denn die Bilder der World-Life-Balance könnten wichtig für Ihren Umgang mit den begrenzten Ressourcen der Erde werden. Ich hoffe, dass es seinen Zweck erfüllt und Sie zum Nachdenken über ein realistisches Weltbild anregt!

Trotz der bevorzugten bildlichen Darstellung sind Zahlen in diesem Buch' gelegentlich unvermeidlich, denn die Bilder basieren auf realen Daten. Sollten Sie sich für dieses Zahlen-

werk interessieren, so finden Sie alle Daten, Quellenangaben und Überschlagsrechnungen über den abgedruckten QR-Code. Dafür gibt es keine Fußnoten, um den Text flüssig lesbar zu halten. Die weiteren QR-Codes im Buch sind keine Quellenangaben, sondern eher kleine Überraschungspäckchen am Textrand, mal zur Auflockerung, mal zur Vertiefung.

Ich wünsche Ihnen viel Spaß beim Lesen!

Eckhard Grundmann

Die Größe der Welt

Sind Ihnen in Autohäusern' schon mal die riesigen Rucksäcke' bei den Neuwagen' aufgefallen? Die Rücksäcke', die auf den Autos' lasten wie eine schwere Hypothek? Acht Tonnen sollen diese Rucksäcke' bei Mittelklasse-PKW' wiegen. Das können die Autoreifen' eigentlich gar nicht tragen.

Oder sind Ihnen an der Ankunftshalle' Ihres benachbarten Flughafens' die breitbeinig laufenden Urlaubsrückkehrer über den Weg gelaufen? Besonders die Heimkehrer von Fernreisen' bringen einen mehrere Tonnen schweren CO_2-Fußabdruck für Hin- und Rückflug' mit nach Hause. Macht das nicht unglaublich groß geschwollene Füße? Der Link auf dieser Seite führt zu einer unbezahlten Produktplatzierung. Werden Sie in Zukunft auch immer dieses Bild vor Augen haben, wenn Sie die Ankunftshalle' eines Flughafens' betreten?

In der Realität verteilt sich das CO_2 sowohl bei der Autoproduktion' als auch bei Flugreisen' in den scheinbar endlosen Weiten unserer Atmosphäre. CO_2-Rucksäcke' und -Fußabdrücke bleiben also unsichtbar. Das Ziel eines intuitiven Verstehens für die Klimawirkung von Autoproduktion' und Flugreisen' wird so nur bedingt erreicht. Andererseits sagen uns die Klimaforscherinnen und -forscher, dass die Weiten unserer Atmosphäre keineswegs endlos sind, sondern dass die mittlerweile über acht Milliarden Menschen durch das Verbrennen' fossiler Rohstoffe' den CO_2-Gehalt in der Atmosphäre immer weiter erhöhen. Dadurch erwärmt sich unsere Erde und verändert sich auf eine Art und Weise, die wir nicht intuitiv erfassen können. Ein Zusammenhang zwischen dem Tun jedes Einzelnen mit dieser allmählichen, weltweiten Veränderung wirkt dabei abstrakt und ungreifbar.

Nehmen wir zum Beispiel die UN-Klimakonferenz' im Dezember 2015 in Paris'. Seinerzeit einigten sich 197 Staaten auf ein neues, globales Klimaschutzabkommen, das als Ziel eine Begrenzung des weltweiten Temperaturanstiegs auf 1,5°C enthielt. Um dieses Ziel zu erreichen, ist eine Begrenzung der Restmenge des weltweiten CO_2 Ausstoßes erforderlich. In den Folgejahren kam es leider nicht zu einem Abfall der weltweiten CO_2-Emissionen, so dass diese erlaubte Restmenge kontinuierlich aufgebraucht und nach unten korrigiert wird. Beispielsweise im Jahr 2024 wurde der Wert auf nur noch 2500 Milliarden Tonnen CO_2 reduziert. Deutschland ist dabei ein wichtiger Verursacherstaat beim Ausstoß von CO_2, denn Deutschland erzeugte im Jahr 2022 Emissionen in der Höhe von 6,12 Milliarden Tonnen.

Wie geht es Ihnen bei solchen Zahlen? Eine derartige Informationsflut kann manche Personen vielleicht erschrecken, aber in der Mehrzahl sind wir wohl mittlerweile dagegen abgestumpft oder schlichtweg von der technischen Ausdrucksweise überfordert. Was sagt Ihnen eine weltweite CO_2-Restmenge von 2500 Milliarden Tonnen und eine jährliche deutsche Emission von circa 6 Milliarden Tonnen? Können Sie solche Monsterzahlen in einer eher unüblichen Einheit verstehen und bewerten?

Nun muss ich etwas gestehen: Die beiden Zahlen stimmen nicht. Ich habe sie beim Abschreiben bewusst um den Faktor zehn vergrößert. Statt einer weltweiten CO_2-Restmenge zum Erreichen des 1,5°-Ziels sind es statt 2500 Milliarden Tonnen „nur" noch 250 Milliarden Tonnen und die jährlichen deutschen Emissionen betrugen 2022 auch „nur" 612 Millionen Tonnen CO_2. Haben Sie es gemerkt?

Dann gehören Sie zur kleinen Minderheit, die diese Zahlen kennt und interpretieren kann.

Was ich mit den unsichtbaren Rucksäcken' und der vorübergehenden falschen Zahlenangabe erreichen möchte, ist der Hinweis auf die schwierige Realität, die die Klimaforschung zu erzählen hat. Mit reinen Zahlen und Fakten ist diese Geschichte schwer überzeugend zu erzählen, denn Menschen sind zum Glück keine reinen Verstandswesen, sondern wir sind gleichwertig durch Emotionalität und Rationalität gesteuert. Zahlen lösen aber selten Emotionen aus. Dagegen beruht der Klimawandel auf einer langen Geschichte unseres Umgangs mit fossilen Energiequellen', die tief in unserer Gesellschaft verwurzelt ist. Wie können reine Zahlen und Fakten eine derartig tief verwurzelte Handlungsweise beeinflussen?

In meinem Umfeld nehme ich eine Abstumpfung und Erschöpfung beim Thema Klimawandel und Energiewende wahr. Nach einer vorübergehenden hohen Priorität im Greta-Jahr 2019 sind die Menschen von der Verantwortung überfordert, die ihnen in dieser Zeit vor Augen geführt worden ist. So wurde aus der Flugscham des Jahres 2019 und nach dem Ende der Coronamaßnahmen ein Rückflugticket' ins pralle Lebensglück. Wie kann es weiter gehen?

In diesem Buch' soll es um Ihre World-Life-Balance gehen. Also darum, das eigene Leben mit der Welt, der Um-Welt beziehungsweise der Erde wieder in Balance zu bringen. Denn anscheinend ist diese Balance nicht mehr gegeben. Wir verbrauchen mehr Ressourcen' als uns die Erde auf Dauer zur Verfügung stellen kann. Dieses Buch' wird Ihnen die Geschichte des Klimawandels aus ungewohnten Blickwinkeln in plastischen

Bildern erzählen: Sachlich korrekt und zugleich emotional verständlich. So ähnlich wie der ‚Acht-Tonnen-Rucksack' auf dem platt gedrückten Neuwagen' oder die nach dem Flug' geschwollenen CO_2-Füße. Bilder, die von einer Gefahr berichten, aber auch Chancen und Risiken realistisch beschreiben sollen. Bilder, die sowohl eine eigene Verantwortung verdeutlichen als auch deren Grenzen. Kein Mensch ist beim Thema Klimawandel frei von Verantwortung und gleichzeitig nicht so von der Verantwortung niedergedrückt, dass sie oder er den Klimawandel alleine aufhalten müsste.

Da, wo Zahlen unvermeidbar sind, werden sie ab jetzt also korrekt und seriös belegt sein. Nur Verschwörungstheoretiker unterwerfen sich dieser Anforderungen nicht, denn sie zielen allein auf die Emotionen. In Verschwörungsgeschichten wirken Zahlen und Fakten wie Rosinen am Rande, die aus dem Zusammenhang gerissen, manipuliert und verdreht werden dürfen. Daher kommen hier keine weiteren falschen Zahlen mehr vor, versprochen.

Weltbilder

Waren Sie schon einmal im Hochgebirge und haben die Erhabenheit und Größe der Berge bewusst wahrgenommen? Oder vielleicht haben Sie eine ganz ähnliche Erfahrung an der Küste gemacht, als Ihr Blick über den scheinbar unendlichen Ozean schweifte? Es ist eine eindrückliche Erfahrung, die eigene Begrenztheit im Angesicht der Weite des Meeres oder der Höhe der Berge zu erkennen. Wie klein sind wir Menschen doch im Vergleich zur Größe der Erde! Und doch gibt es auch einen ganz anderen Blick auf unseren Heimatplaneten, der genau das Gegenteil zeigt. Die ersten Menschen, die diesen ganz besonderen Blick erfahren haben, waren die Astronauten von Apollo' 8, die am 24. Dezember 1968 als erste Menschen den Mond umrundeten. Hinter dem Mond gab es keinen Funkkontakt zur Erde und so war die dreiköpfige Besatzung für einige Zeit vollkommen auf sich gestellt. Das Crewmitglied Bill Anders beschreibt die Umrundung des Mondes so: „Plötzlich sahen wir Millionen von Sternen, mehr als man in einem Planetarium sehen kann, bis zu dem Punkt, an dem die Sternbilder durcheinanderkamen. Das war also ziemlich spektakulär. Und ich erinnere mich, dass ich sie mir ansah, weil ich mich für Astronomie interessierte, und dann schaute ich irgendwie über meine linke Schulter und plötzlich hörten die Sterne auf. Und da war diese große schwarze Leere, dieses schwarze Loch. Und das war der Mond! Das war der Mond, der die Sterne abschirmte und dennoch nicht beleuchtet wurde. Er war so schwarz, wie ich noch nie Schwarz gesehen habe. Das war das einzige Mal während des Fluges, dass mir die Nackenhaare ein wenig zu Berge standen."

Als sie dann hinter dem Mond wieder auftauchten, war es wohl nicht nur die wieder hergestellte Funkmöglichkeit zur Erde, sondern auch der Blick auf unseren Planeten, der für Erleichterung sorgte und zu einem Meilenstein der Weltraumfahrt' wurde: „Earthrise" nannte die NASA' das Foto der über dem Mondhorizont aufgehenden Erde. Es zeigt die Erde auf eine ganz besondere Art: Zusammengeschrumpft auf die Fläche eines ausgestreckten Daumens. Berlin', London', die Alpen, New York', drei große Ozeane, Tokio', Johannesburg': Alles befindet sich auf dieser kleinen blauen Kugel. Nur dort und nirgendwo sonst können wir leben: scheinbar verloren im Weltall, wunderschön und verletzlich zugleich.

Wie groß ist die Erde? Erhaben und unwandelbar?

Oder nur eine kleine blaue Murmel in den Weiten des Weltalls?

Wie können wir diese unterschiedlichen Perspektiven auf die Erde miteinander verbinden? Ergriffen von der Größe und Erhabenheit unseres Planeten und beeindruckt von der kleinen blauen Kugel im Weltall?  Nun, als Sie damals an der Küste standen und das weite Meer bewundert haben, waren Sie da eigentlich allein? Mit wie vielen Menschen haben Sie diesen Blick wohl geteilt? Schließlich sind Sie ja nicht allein auf der Erde, sondern wir Menschen teilen die Erde untereinander auf in Länder, Städte', Häuser', Wohnungen'. Den Gedanken des Aufteilens der Erde werden wir für ein realistisches Weltbild in Zeiten des Klimawandels fortsetzen:

Stellen Sie sich einmal vor, die Erde würde für alle Menschen in gleich große Flächen aufgeteilt – wie groß wäre Ihr Anteil? Säßen Sie wie im Feierabendstau' eng eingepfercht neben ihrer Nachbarin? Oder hätte es eher etwas vom Wilden Westen mit den unendlichen Weiten der Prärie? Mit dieser 9. Klasse-Rechnerei werde ich Sie nicht belästigen, aber in einem solchen Bild aus lauter gleich großen Parzellen ergibt sich für jeden Menschen eine Fläche von etwa sechs Hektar. Wobei zu beachten ist, dass die Erde nicht umsonst „der blaue Planet" genannt wird: Über siebzig Prozent Ihrer sechs Hektar kleinen Parzelle ist von Meereswasser bedeckt, so dass Ihnen nur etwa eineinhalb Hektar Land zur Verfügung stehen.

Wie sieht ein Lebensraum mit eineinhalb Hektar Land aus? Natürlich liegt unmittelbar der Gedanke an eine Insel in der entsprechenden Größe nahe. Es ist allerdings schwierig, ein derart kleines Eiland zu finden. Googelt man nach passenden, kleinen Inseln, dann handelt es sich im Meer immer um karge Felsspitzen, die keinerlei Vegetation zulassen und damit für eine menschliche Besiedlung' und Versorgung ungeeignet sind. Inseln mit Sandstrand und Vegetation im Inneren wären von der Vorstellung her zwar passend, aber die sind immer deutlich größer als eineinhalb Hektar. Meereswellen und Winde erfordern wohl ein deutlich größeres Kerngebiet für eine halbwegs stabile Insel. Offensichtlich lebte Robinson Crusoe auf einem viel größeren Eiland als Ihnen zur Verfügung stehen würde – naja, schließlich lebte er am Ende auch nicht allein, denn es kam ja noch Freitag dazu. Tom Hanks aber musste im Hollywood-Thriller „Cast Away – Verschollen" auf seiner Insel tatsächlich allein ums nackte Überleben kämpfen, doch falls Sie den Film kennen: Auch diese Insel war mit Sicherheit größer als der verfügbare Lebensraum jedes einzelnen Menschen. Selbst das Durchforsten von Inseln auf deutschen Binnenseen war zunächst ähnlich erfolglos wie auf hoher See. Erst im Steinhuder Meer fand sich mit der ehemaligen Festung Wilhelmstein' ein im 18. Jahrhundert künstlich angelegtes Inselchen in der ge-

suchten Größe. Der Posten des Inselvogts als einzigem Bewohner wurde allerdings 2018 abgeschafft. Es war wohl kein besonders begehrter Job.

Die Beispiele zeigen deutlich, dass eine Insel keine geeignete Parzelle für Ihren Lebensraum darstellt, denn Sie sollen ja nicht wie Robinson Crusoe sozial abgeschnitten auf einer einsamen Insel leben oder wie Tom Hanks ums Überleben kämpfen müssen. Nein, es braucht ganz im Gegenteil einen Lebensraum, in dem Sie weiterhin Ihr volles gesellschaftliches Leben haben und ohne Einschränkungen in den Freiheiten und Möglichkeiten, die Sie aktuell genießen.

Daher nehmen wir für Ihren Lebensraum die sechs Hektar große Fläche von vier Sportplätzen' inklusive 400-Meter

Laufbahn' an, wobei drei dieser Sportplätze' von Meer bedeckt sind und nur ein einziger aus dem Meer herausragt. Wenn Sie sich diesen Land-Sportplatz' anschauen, dann ist zu berücksichtigen, dass etwa ein Drittel der weltweiten Landfläche aus Wüsten, Halbwüsten oder Eiswüsten besteht.

 Der fruchtbare Teil Ihrer Parzelle entspricht damit dem Fußballfeld' im Innenbereich Ihres Festland-Sportplatzes':

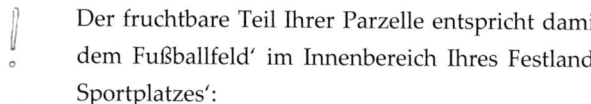 Willkommen in Ihrer World-Life-Arena'!

Hier können Sie Ihr gewohntes Leben in unveränderter Weise fortführen und genießen! Sozialleben, Familie, Konsum, Arbeit, Reisen – alles bleibt wie bisher. Nur sämtliche Ressourcen', die Sie verbrauchen, stammen ausschließlich aus Ihrer Arena' und alle Ihre Abfälle' kehren zu Ihrer Arena' zurück. Ein Sportplatz' Land und eine Meeresfläche in der Größe von drei Sportplätzen': Dieser Lebensraum steht Ihnen zur Verfügung!

Auf dem Festland-Sportplatz' mag Ihnen das fruchtbare Fußballfeld' am meisten vertraut sein, weil es einer deutschen Landschaft wohl am ähnlichsten sieht: Ein Fußballfeld' aufgeteilt in Waldflächen, teilweise tropisch, teilweise sibirisch, aber teilweise eben auch mit Waldelementen unserer gemäßigten Zone. Vor allem aber gibt es auf diesem Fußballfeld' auch menschlich genutzte Flächen für die Landwirtschaft', für Infrastruktur' wie Straßen' und Gebäude', denn hier leben Sie.

Die World-Life-Arena

Steigen Sie ein in die Gestaltung Ihres Lebensraums!

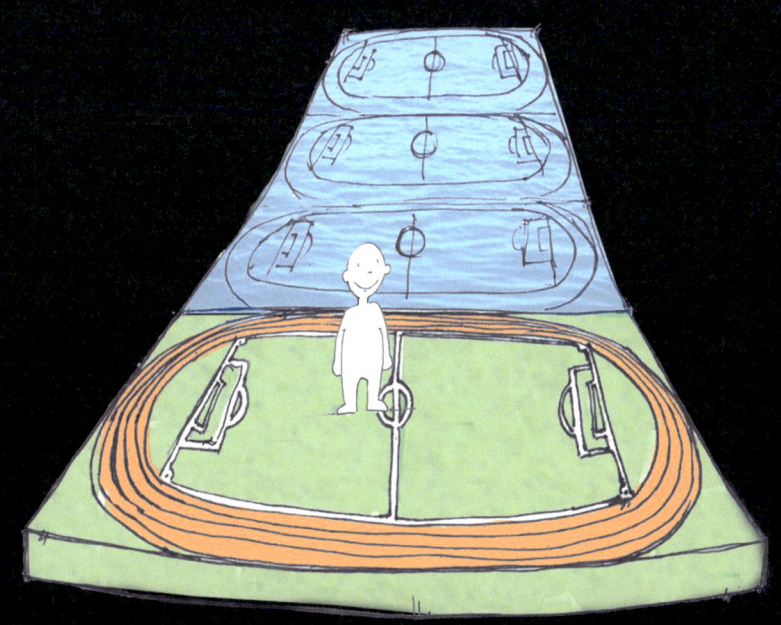

Ein Mensch aus dem Mittleren Westen der USA würde diesen Lebensraum gemäß der World-Life-Balance wahrscheinlich als ziemlich klein empfinden, während einer der 733 Millionen von Mangelernährung betroffenen Menschen bestimmt über die Fruchtbarkeit und den riesigen Platz der Arena' erstaunt wäre und sich fragen würde, warum der Reichtum' der Welt so ungerecht verteilt ist und er oder sie eigentlich nicht genug zu essen findet.

Wahrscheinlich liegt ein passendes Beispiel Ihrer World-Life-Arena' in nicht allzu großer Entfernung in Ihrem eigenen Wohnort'. Vielleicht denken Sie bei der nächsten Sportschau' oder dem nächsten eigenen Spiel auf dem Rasen' mal an die Fläche, auf der sich die Sportlerinnen und Sportler da tummeln. Diesen Lebensraum sollten Sie bewahren, denn es ist Ihr einziger. Bedenken Sie bitte den Hinweis zu den Ressourcen' und Abfällen'! Denn wie sagte schon der kleine Prinz von Antoine de Saint Exupéry (Ach nein, hier meine ich nicht das berühmteste Zitat aus dem kleinen Prinzen „Man sieht nur mit dem Herzen gut. Das Wesentliche ist für die Augen unsichtbar", sondern eine etwas schlichtere Stelle etwas weiter vorne im Buch): „Es ist eine Frage der Disziplin. Wenn man seine Morgentoilette beendet hat, muss man sich ebenso sorgfältig an die Toilette des Planeten machen."

Stellen Sie sich gerne einmal auf den Anstoßpunkt' Ihres nächstgelegenen Sportplatzes' und lassen Sie den Blick über Ihre World-Life-Arena' schweifen! Sie haben in allen Richtungen die Grenzen Ihres Lebensraums gut erkennbar vor Augen. Es sind weder die endlosen Weiten der Prärie, noch können Sie Ihre Welt unter Ihrem Daumennagel verschwinden lassen. Stattdessen stehen Sie in der Mitte des realistischen Weltbildes im einundzwanzigsten Jahrhundert: Ganz offensichtlich begrenzt und verletzlich, aber auch voller Chancen und Möglichkeiten. Sie können Ihren Lebensraum erhalten oder zerstören. Die Zukunft hängt von Ihren Entscheidungen ab. Schauen wir mal, wozu ein solches Weltbild nützlich ist!

Zunächst hilft dieses Bild der World-Life-Arena' gegen das Lemminge-Argument. Sie kennen bestimmt den Lemminge-Mythos, nach dem sich Lemminge bei Überbevölkerung freiwillig selbst aufgeben, sich willenlos dem Gruppenzwang unterwerfen und in den Tod stürzen? Vergleichen Sie das angebliche Verhalten der Lemminge doch einmal mit Aussagen wie diesen: „Was hilft es denn, wenn ich etwas gegen den Klimawandel unternehme? Das hilft ja doch nichts!" Oder: „Was hilft es denn, wenn wir Deutschen die Energiewende umsetzen und der Rest der Welt macht weiter wie bisher?" Das Argument könnten beispielsweise auch die Chinesen verwenden, denn was hilft es schon, wenn „wir Chinesen eine Energiewende umsetzen würden und die übrigen siebzig Prozent der weltweiten Emissionen' unverändert blieben?" Eine solche Lemminge-Argumentation sollte Ihnen auf Ihrer World-Life-Arena' nicht in den Sinn kommen, denn Sie sind ja für Ihre Arena' verantwortlich. Selbst wenn andere ihrer Verantwortung nicht gerecht werden, dann ist es noch lange kein Grund für Sie, denselben Fehler zu begehen. Denn wir sind keine Lemminge. Jede und jeder kann sich im Rahmen der eigenen Möglichkeiten immer wieder richtig entscheiden. Sie müssen nicht die ganze Welt retten. Ihre Basis-Verantwortung besteht aus einem Sportplatz' Festland und drei Sportplätzen' Meeresfläche.

Steigen wir also ein in die Gestaltung Ihrer World-Life-Arena': Ein Tor' links, ein Tor' rechts und der Anstoßpunkt' in der Mitte erfordern doch nicht mehr als gelegentliches Rasenmähen' und schon kann das Spiel losgehen? Nur muss auf dieser Fläche alles für Ihr Leben Notwendige erzeugt werden und alles nicht mehr Verwendbare kehrt genau hierher zurück. Da bliebe bei einer kompletten Nutzung als Fußballplatz' nur noch Gras zum Essen übrig.

Wie sieht es mit Lebensmitteln aus? Trinkwasser werden Sie weder im Meer noch in einem Wüstenabschnitt finden, sondern nur unter dem einen fruchtbaren Fußballfeld'. Haben Sie Lust auf Milch', Käse' und Rindfleisch'? Dafür braucht es schon mal eine recht große Graswiese und etwas Mais als Kraftfutter' für den dann erforderlichen Kuhanteil' auf dem Sportplatz'. Jährlich werden pro Person in Deutschland zudem etwa sieben Hühner und ein Drittel von einem Mastschwein' verzehrt. Mit Kartoffel- und Gemüseanbau' wäre die Lebensmittelversorgung' zweifellos mit einem geringeren Flächenbedarf möglich, denn dann könnten Sie die geernteten Früchte direkt verzehren, ohne den Umweg über einen Tiermagen.

Bitte vergessen Sie aber nicht, dass es vor allem darum geht, die Natur nicht zu vernachlässigen! Wildtiere wie Rehe, Gnus, Pinguine, Frösche, Giraffen und viele weitere brauchen genauso einen Rückzugsraum auf Ihrem Sportplatz' wie auch die Vielfalt unserer Pflanzenwelt. Am besten wäre es, wenn Sie einen möglichst großen Anteil Ihrer World-Life-Arena' gar nicht betreten, sondern die Natur einfach machen lassen. Schließlich wollen Sie ja die World-Life-Balance erhalten!

Ihr Konsum' hat erhebliche Auswirkungen auf Ihre Arena': Bodenschätze' aller Art werden auf Ihrer Arena' gewonnen, denn Sie benötigen die Ausgangsstoffe für die Produkte', die Sie im Laufe Ihres Lebens konsumieren. Neben einer Bergbauecke' benötigen Sie also auch kleine Anteile aller möglichen Produktionsanlagen' auf Ihrem Sportplatz', denn nahezu jedes Produkt', dass Sie mit Geld bezahlen, wurde irgendwo produziert, gehostet oder transportiert und zum Verkauf angeboten.

Alle Ressourcen' für diese Dinge stammen aus Ihrer World-Life-Arena' und viele davon müssen kontinuierlich mit Energie versorgt werden: Also nicht nur Ihre Wohnung' oder Ihr Haus', sondern auch die Produktionsanlagen', die Serverfarmen' für Ihre Internet'-Aktivitäten, die Lastkraftwagen' und die Supermärkte'. In Deutschland erhöht sich der Anteil der erneuerbaren Energien allmählich von zwanzig in Richtung fünfundzwanzig Prozent: Beim Strombedarf wird zwar schon mehr als die Hälfte regenerativ erzeugt, dafür sind es bei der Wärmeerzeugung und im Verkehr deutlich weniger als ein Viertel. Stellen Sie sich als Zeichen der wachsenden Abkehr von fossilen Energieträgern' gerne eine Solaranlage' auf das Dach' Ihrer Wohnung'! Der Hauptanteil Ihres Energiebedarfs' stammt derzeit jedoch aus fossilen Energien', also aus Öl', Gas' und Kohle'. Angenommen, Sie legen einen durchschnittlichen deutschen Energiebedarf' zugrunde und Sie würden als fossile Energiequelle' weder Gas' noch Kohle', sondern ausschließlich Öl' einsetzen, wie groß würden Sie Ihren Bedarf einschätzen? Nun, Sie müssten eine voll befüllte Badewanne' mit Rohöl' aus Ihrer World-Life-Arena' fördern, um diesen Energiebedarf' zu decken – und das in jedem Monat! In Deutschland liegt der Energieverbrauch übrigens etwa doppelt so hoch wie im weltweiten Durchschnitt – weltweit müsste die Rohöl'-Badewanne' also monatlich nur halb gefüllt werden.

 Haben Sie Ihren Sportplatz' nun im Kopf durchgeplant? Ihre Einflussmöglichkeiten im Guten wie im Zerstörerischen sollten Ihnen dabei intuitiv deutlich geworden sein. Meinen Sie, dass Sie auf diesem begrenzten Lebensraum die World-Life-Balance erhalten können?

In diesem Buch' geht es zwar in erster Linie um den Klimawandel, aber an dieser Stelle lohnt sich ein Blick zur Seite auf den allgemeinen Gesundheitszustand des Planeten. Es liegt nahe, Ihre Gestaltungsideen der World-Life-Arena' einmal mit einer wissenschaftlichen Betrachtung zum Zustand der Erde zu vergleichen. Eine solche Untersuchung der planetaren Grenzen stellte eine Gruppe von Wissenschaftlern und Forscherinnen im Jahr 2009 erstmals vor. Dabei identifizierte das Forschungsteam neun kritische Bereiche der Erde, in denen wir Menschen den sicheren Handlungsspielraum bedrohen oder bereits überschritten haben. Im ersten Bericht wurden drei Grenzen als überschritten angesehen. Im aktuellen Upgrade aus dem Jahr 2025 wurden leider mittlerweile sieben der neun Grenzen als überlastet bewertet. Eine bemerkenswerte Verschlechterung in nur sechszehn Jahren.

Wenig überraschend gehört der Klimawandel zu den überlasteten Bereichen. In einem kleinen Exkurs gehen wir die anderen sechs überlasteten Themengebiete stichpunktartig durch. Bitte lesen Sie diesen Abschnitt nicht als Schreckensliste und versuchen Sie auch nicht, sofort nach Lösungen zu suchen! Stattdessen überlegen Sie bitte nur, ob diese Überlastungen beim Blick auf den begrenzten Lebensraum Ihrer World-Life-Arena' sowieso zu erwarten gewesen wären?

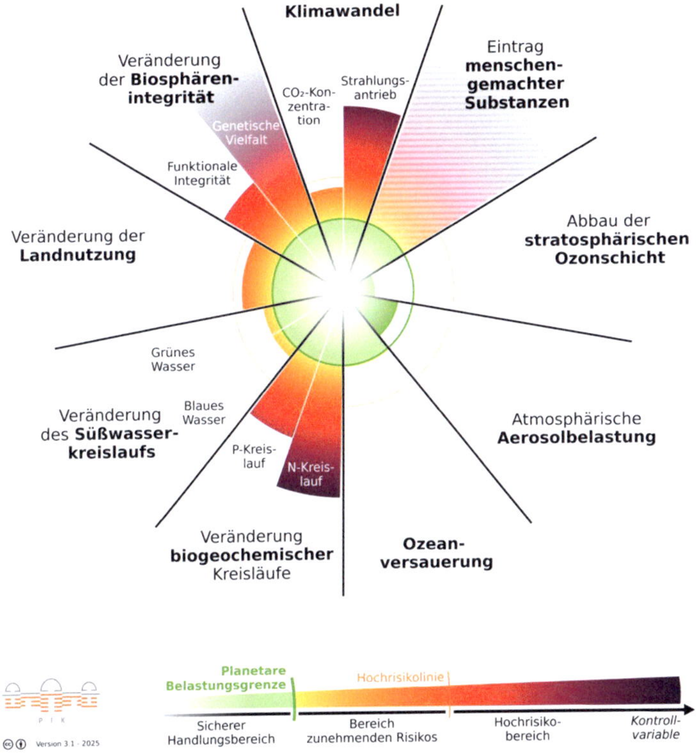

Klimawandel

Veränderung der **Biosphärenintegrität**
- Genetische Vielfalt
- Funktionale Integrität

CO_2-Konzentration
Strahlungsantrieb

Eintrag **menschengemachter Substanzen**

Veränderung der **Landnutzung**

Abbau der **stratosphärischen Ozonschicht**

Grünes Wasser

Veränderung des **Süßwasserkreislaufs**
- Blaues Wasser
- P-Kreislauf
- N-Kreislauf

Atmosphärische **Aerosolbelastung**

Veränderung **biogeochemischer** Kreisläufe

Ozeanversauerung

Planetare Belastungsgrenze | Hochrisikolinie
Sicherer Handlungsbereich | Bereich zunehmenden Risikos | Hochrisikobereich | Kontrollvariable

Beginnen wir mit den „*Eintrag menschengemachter Substanzen*": Haben Sie schon an den Bedarf einer Kreislaufwirtschaft gedacht, damit nicht jedes Ihrer Produkte' bei der Herstellung immer neue Ressourcen' erfordert, nur um dann kurze Zeit später als Müll' Ihre World-Life-Arena' zu verschandeln? Stellen Sie sich einmal vor, es gäbe keine Müllabfuhr' auf Ihrer Arena' und Sie kippen Ihren Hausmüll' jeden Monat über Ihren vier Sportplätzen' aus: Wie lange wird es wohl dauern, bis sich unter jedem Busch eine kleine Müll-

sammlung' befindet und sich in Ihrem Meer ein Plastikmüllstrudel' wie der aktuelle im Pazifischen Ozean ausgebildet hat? Niemand überblickt die Vielzahl der Substanzen in der langen Liste der Dinge unseres alltäglichen Bedarfs: die ganzen Plastik'-, Elektronik'- und Metallprodukte'; die Verpackungen', Ihre Kleidung', Kosmetikartikel' und Lebensmittel'; die verbauten Substanzen in der Infrastruktur' wie Ihrer Wohnung', öffentliche Einrichtungen und Straßen'.

Die *„Veränderung der Landnutzung"* wird vor allem durch den Flächenbedarf der Landwirtschaft hervorgerufen. Wieviel Platz haben Sie für die Landwirtschaft vorgesehen? Der reale Wert ist erstaunlich hoch: Aktuell wird im weltweiten Durchschnitt etwa die Hälfte des fruchtbaren Bodens landwirtschaftlich genutzt. Falls Sie sich wie ein weltweiter Durchschnittsmensch ernähren, dann wäre damit also eine Spielfeldhälfte' bereits belegt. Verhalten Sie sich dagegen wie ein durchschnittlicher Deutscher, so würde der hierzulande überdurchschnittlich hohe Fleischkonsum die verbleibende, nicht landwirtschaftlich genutzte Fläche noch weiter zurückdrängen. Ihre Essensgewohnheiten haben also einen wesentlichen Einfluss auf das Aussehen Ihres Fußballfeldes'.

Mit der *„Veränderung der Biosphärenintegrität"* ist die abnehmende Vielfalt der vorhandenen Pflanzen- und Tierarten gemeint. Die Landwirtschaft' auf der einen Spielfeldhälfte arbeitet vorwiegend mit Monokulturen, in der sich nur wenige andere Arten halten können. Auch beim Wald auf der anderen Hälfte handelt es sich nur zu etwa einem Drittel um Urwälder. Die wirklich unberührte, vielfältige Natur hat leider nicht viel Platz auf Ihrer World-Life-Arena'. Nehmen wir als Beispiel die großen Wildtiere Löwe, Elefant, Tiger, Nashorn und Giraffe: Alle stehen auf der roten Liste der vom Aussterben bedrohten Arten! Löwe und Co sind aber nur die prominente Spitze einer sehr langen Liste bedrohter oder bereits ausgestorbener Arten.

Bei der „*Veränderung biogeochemischer Kreisläufe*" handelt es sich um die Nährstoffkreisläufe der Erde. Pflanzen wachsen, sterben ab und vergehen wieder zu neuem Humus. Die natürliche Fruchtbarkeit wird dabei durch die im Boden vorhandenen Mineralien begrenzt. Doch die moderne Landwirtschaft' auf Ihrer World-Life-Arena' befindet sich im globalen Wettbewerb, in dem fast nur die Betriebe' bestehen können, die die natürliche, begrenzte Fruchtbarkeit des Bodens mit Hilfe von Kunstdünger' auf maximale Leistung optimieren. Der Einsatz von Stickstoff- und Phosphorhaltigen Düngemitteln' auf einer Hälfte Ihres Fußballfeldes' steigert folglich nicht nur den Ertrag, sondern verändert auch die „*biogeochemischen Kreisläufe*" Ihrer gesamten World-Life-Arena'.

Die „*Veränderung in Süßwasserkreislaufs*" ergibt sich, weil auf Ihrem zur Hälfte entwaldeten Fußballfeld' auch noch Trinkwasser für Ihre Nutztiere und Sie selbst benötigt wird und die entstandenen Abwässer auf Ihre World-Life-Arena' zurückfließen.

Konnten Sie diese Überlastungen auch auf der von Ihnen geplanten World-Life-Arena' erkennen? Ob Ihnen die Erde groß und erhaben oder als winzige blaue Kugel im Weltall erscheint, ist letztlich eine Frage der Perspektive, aus der Sie

die Erde betrachten. Objektiv ist es aber so, dass die Menschheit in ihrer Gesamtheit die Begrenzungen der Erde seit Jahrzehnten austestet und zunehmend überschreitet. Diese wissenschaftliche Erkenntnis ist emotional nicht unmittelbar zu verstehen, weil wir uns als Einzelne immer als klein im Vergleich zum großen Planeten Erde sehen.

27

Doch die World-Life-Arena' zeigt, dass unser Lebensraum begrenzt und verletzlich ist. Die wissenschaftlichen Forschungsergebnisse sind keine Überraschung mehr.

Der siebte Bereich, bei dem wir die planetaren Grenzen erst im Update des Jahres 2025 überschritten haben, führt uns zurück zum Hauptthema des Buchs': Die „*Ozeanversauerung*" ist eine direkte Folge des wachsenden CO_2-Gehalts der Atmosphäre. Dieser führt zu einer erhöhten CO_2-Aufnahme durch das Meerwasser, wo sich das CO_2 in Kohlensäure verwandelt. Das von der Ozeanversauerung hervorgerufene Korallensterben ist immer wieder Themen in den Medien. Damit ist der Exkurs beendet und wir sind wieder zum Thema Klimawandel zurückgekehrt.

Auf dem Anstoßpunkt'

In der Halbzeitpause ist es Zeit für einen kurzen Rückblick:

→ Das Bild Ihrer World-Life-Arena' gibt Ihnen einen realistischen Eindruck von den planetaren Grenzen der Erde.

Was ist aber nun mit dem Klimawandel als planetare Grenze? Wo sehen Sie den Klimawandel denn auf Ihrer World-Life-Arena'? Wahrscheinlich werden Sie den Blick bei dieser Suche in Richtung des World-Life-Horizonts schweifen lassen, weil wir Menschen uns üblicherweise auf das fixieren, was sich auf dem Erdboden und damit ungefähr in unserer Augenhöhe befindet. Damit haben wir aber noch längst nicht alle Elemente der World-Life-Arena' erfasst, denn was passiert eigentlich über uns? Wenn wir als Deutsche jeden Monat eine Badewanne' voll Rohöl' aus dem Erdboden unserer World-Life-Arena' pumpen und anschließend verbrennen, dann sind es nicht nur die Ressourcen' im Erdboden, die ausgebeutet werden, dann verschwinden die Abgase in der Luft über unseren vier Sportplätzen'. Verändern wir durch das Verbrennen dieser fossilen Energieträger' unsere Atmosphäre? Um auch das intuitiv begreifen zu können, werden wir in der nächsten Halbzeit die Blickrichtung wechseln und nach oben schauen!

Die Größe der Luft

„Über den Wolken muss die Freiheit wohl grenzenlos sein..." Es gibt wohl keinen Menschen, der nicht schon einmal den blauen Himmel mit ziehenden Wolken beobachtet und genossen hat. Wie groß, nein geradezu grenzenlos groß der Himmel über uns doch ist! Mit Flugzeugen' sind wir heute in der Lage, innerhalb eines Tages zum anderen Ende der Erde zu reisen! Und wenn wir dann auch noch nachts die Sterne am Himmel stehen sehen, dann erkennen wir die Unendlichkeit des Weltraums, der uns umgibt. Klar ist aber, dass wir im Weltraum nicht mehr atmen können. So wissen wir auch um die Endlichkeit der Atmosphäre über uns, aber grundsätzlich ist die Luft etwas, das viel größer ist als wir selbst, etwas scheinbar Unwandelbares und Verlässliches.

Auch in dieser Halbzeit möchte ich Sie wieder zu einem Wechsel der Blickrichtung auffordern. Weg vom menschlichen Blick vom Erdboden hinauf in den Himmel und hin zum umgekehrten Blick vom Weltraum zurück auf die Erde.  Dieses Mal ist der umgekehrte Blick aber nicht der vom Mond auf die Erde, wo die Astronauten die Erde als ferne blaue Kugel gesehen haben, sondern ein Blick von dichter dran und dann auf den Rand der Erde. Da, wo die Erde in den Weltraum übergeht und wo sich ein zarter Schleier abzeichnet, der mit wachsendem Abstand zur Erdoberfläche schnell dünner wird und bald ganz verschwindet. Möglicherweise ist es der Blick auf die Achillesferse der Erde, auf den Teil der Erde, der am verletzlichsten ist:

Wie groß ist die Luft? Ist die Freiheit wohl grenzenlos?

Photo: ©ESA
ESA astronaut Samantha Christoforetti

Oder ist Luft nur ein schmaler Schleier zwischen Erdboden und Weltall?

Die Atmosphäre erscheint uns am Boden als grenzenlos. Tatsächlich ist sie nur eine dünne Übergangsschicht zwischen der Erdoberfläche und dem lebensfeindlichen Vakuum des Weltraums. Für das Bild der World-Life-Balance wird nicht nur den Erdboden gleichmäßig auf alle Menschen aufgeteilt, sondern auch die Luft, so dass jeder Mensch genau die Luft zur Verfügung hat, die über einer Fläche von vier Sportplätzen' beginnt und von da bis in den Weltraum reicht. Was ist das eigentlich für eine Atmosphäre über uns? Wenn Sie jetzt mit dem Auto' über Ihre World-Life-Arena' fahren, ein neues Handy' kaufen oder Ihr Mittagessen' betrachten: Wie mächtig ist denn die Atmosphäre, in die Sie das von Ihrem Tun erzeugte CO_2 entlassen? Also da, wo die Satelliten' fliegen, so in mindestens 160 Kilometern Höhe, da ist sie auf jeden Fall schon zu Ende, denn sonst würden die Satelliten' schnell abstürzen. In einem Flugzeug' beträgt die Reiseflughöhe etwa zwölf Kilometer und da ist immerhin noch genug Luft für den Auftrieb da. Die Flugzeugkabine' aber muss in dieser Höhe einen höheren Druck als die Außenluft haben. Ansonsten drohen den Passagieren Ohnmachtsanfälle oder Schlimmeres. Wie viel Luft ist also über uns?

Für ein einprägsames Bild nehmen wir einmal an, dass die Atmosphäre über Ihrer World-Life-Arena' ein rechteckiger Klotz mit konstanter Dichte ist, die Luft also bis zum oberen Rand der World-Life-Atmosphäre genauso gut zu atmen ist wie am Erdboden. Natürlich soll die Luftmenge der World-Life-Atmosphäre der tatsächlichen Erdatmosphäre entsprechen. Wenn wir diesen Atmosphäre-Klotz mit konstanter Dichte zehn Kilometer hoch annehmen, dann entspräche der konstante Luftdruck dieser World-Life-

Die World-Life-Arena

Mit planetaren Grenzen leben

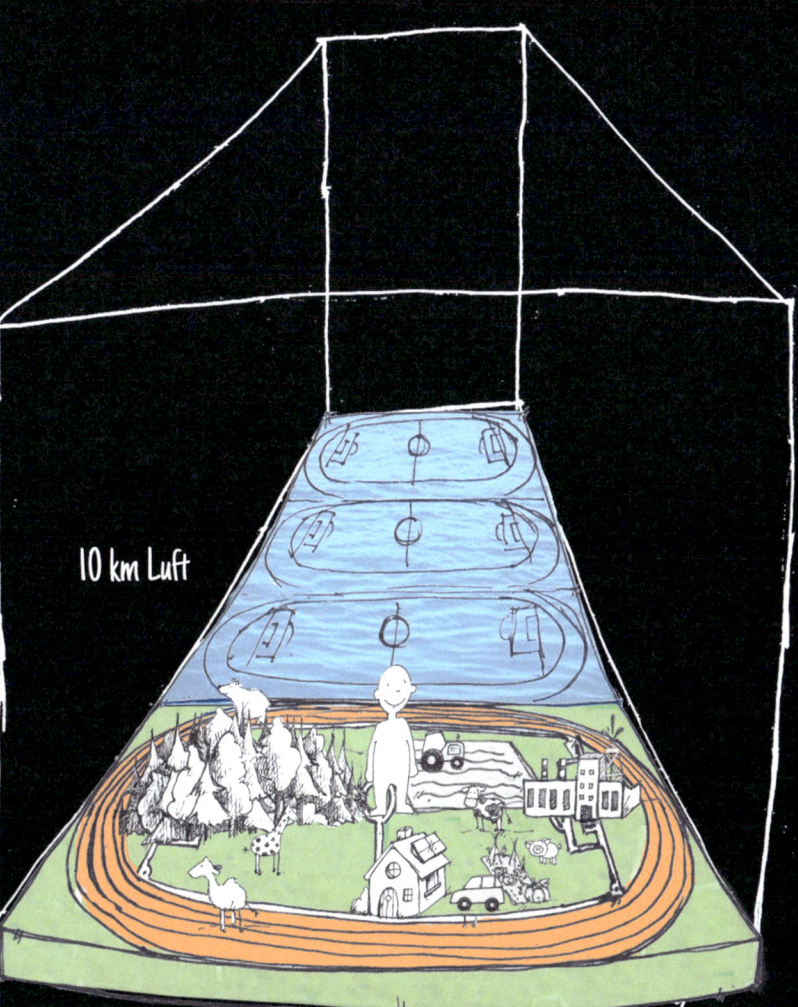

Atmosphäre dem Druck in etwa 2000 Metern Höhe, also ungefähr der Spitze des Jenner bei Berchtesgaden. Die Luft der World-Life-Atmosphäre ist also etwas dünner als es die meisten Flachland-Bewohner gewöhnt sind. Sie ist aber trotzdem problemfrei zu atmen.

Wir haben also zehn Kilometer Luft zum Atmen über uns. Das ist eine beruhigende Menge. Es stellt sich aber die Frage, was die Luft denn sonst noch für uns leistet – außer dass sie von uns geatmet wird.

Kennen Sie den Treibhauseffekt?

Stellen Sie sich bitte einen Winterabend vor! Es ist 16:00 Uhr, die Sonne geht gleich unter, fünf Grad plus, Windstille. Nun überlegen Sie bitte, in welchem Fall es sich bis zum Morgen stärker abkühlen wird: Wenn der Himmel wolkenverhangen ist oder in einer klaren Nacht? Die Antwort wird Ihnen vermutlich leichtfallen: In einer sternklaren Winternacht kühlt es sich stärker ab als bei bewölktem Himmel. Diese Erfahrung hat wohl schon jede und jeder gemacht. Auch die Ursache für die geringere Abkühlung bei bewölktem Himmel ist allgemein bekannt: Die Wolken sind eine Art Schutzdecke gegen Auskühlung. Im Sprachgebrauch der Klimaforschung trägt diese „Schutzdecke gegen Auskühlung" den Namen Treibhauseffekt.

Ich weiß nicht, ob Sie mit dem Begriff Wärmestrahlung etwas anfangen können, aber Sie haben mit Sicherheit schon viele Erfahrungen damit gemacht: Die Heizung', die bereits aus einem Meter Entfernung wärmt, obwohl der Raum noch kühl ist. Oder der Heizstrahler' im Biergarten', der den Aufenthalt an einem kühlen Herbstabend weiterhin ermöglicht.

Es gibt auch den umgekehrten Fall, wenn Ihnen an einem schneebedeckten Winterabend besonders schnell kalt wird, denn dann sind Sie selbst der Wärmestrahler, der aber keine Chance hat, die umliegende Winterlandschaft merklich zu erwärmen, so dass Ihnen einfach nur schnell sehr kalt wird.

Bei der Frage zum wolkenverhangenen oder klaren Winterabend spielt die Erdoberfläche die Rolle des Wärmestrahlers. Die Erde strahlt ihre Wärme in den Weltraum ab. Das funktioniert bei klarem Himmel besser als bei Bewölkung, denn dann reflektiert die Wolkendecke einen Großteil der Wärmestrahlung zurück zur Erdoberfläche: Der Treibhauseffekt. Im Beispiel ist also der Wasserdampf in den Wolken das maßgebliche Treibhausgas. Die Atmosphäre enthält aber auch ohne Wolken noch weitere Treibhausgase. Das Wichtigste davon ist CO_2.

Verabschieden wir uns von der Winternacht und nehmen wir eine andere Szene: Vielleicht haben Sie einmal eine Doku über Apollo 13' oder den gleichnamigen Hollywoodklassiker aus dem Jahr 1995 gesehen? In den Filmen wird die dramatische Rettung der gescheiterten dritten bemannten Mondlandung' aus dem April 1970 nacherzählt. Dann haben Sie

wahrscheinlich auch den Abschnitt vor Augen, in dem die drei US-Astronauten bibbernd vor Kälte in ihrem Raumschiff' hocken, denn sie waren während des Rückflugs' zur Erde gezwungen, die Heizungen' abzustellen, so dass sich ihre Raumkapsel' in einen Eisschrank' verwandelte. Die Frage lautet: Warum wurde es eigentlich kalt im Raumschiff'? Schließlich befand sich die Apollo-Kapsel' während des Rückflugs' vom Mond zur Erde kontinuierlich im prallen Sonnenschein! Warum wurde es also trotz Sonnenschein kalt? Nun, Sie können die Antwort von der klaren Winternacht wieder benutzen: Die Außenhülle von Apollo 13' hatte keine wärmende Wolkendecke um sich herum und auch keine sonstige CO_2-haltige Atmosphäre, sondern nur den leeren Weltraum. Ganz ohne Treibhauseffekt ergibt sich für einen Himmelskörper in einem erdähnlichen Abstand von der Sonne eine mittlere Temperatur von minus achtzehn Grad Celsius. Ohne den Treibhauseffekt erginge es der Erde als Ganzem also so, wie es die Astronauten im Jahr 1970 ansatzweise erfahren haben: Unser blauer Planet würde sich in eine Schnee- und Eiskugel verwandeln – wie gut, dass es den Treibhauseffekt gibt!

Vielleicht haben Sie einen Garten mit Gewächshaus'? In diesem Fall sind Sie Experte oder Expertin im Treibhauseffekt, denn im Gewächshaus' scheint die Sonne ungehindert durch das Glasdach' in das Gewächshaus' und erwärmt es damit. Glas' ist schließlich durchsichtig. Umgekehrt gibt der Boden des Gewächshauses' seine aufgestaute Wärme in Form von Wärmestrahlung zurück. Weil Glas' aber für Wärmestrahlung undurchlässig ist, reflektiert das Dach' die Wärme ins Innere des Gewächshauses' zurück und die Pflanzen können durch die höheren Temperaturen schneller wachsen. Wintergärten' nutzen übrigens den gleichen Effekt.

Der Treibhauseffekt erklärt also verschiedene Alltagsphänomene. Passend dazu ist der Effekt für die Erdatmosphäre schon seit langem bekannt und wurde bereits vor zweihundert Jahren als wissenschaftliches Phänomen entdeckt. Der Treibhauseffekt wird also durch die Erdatmosphäre hervorgerufen. Sind aber alle Bestandteile der Luft dafür gleichermaßen verantwortlich? Wir nehmen die Luft um uns herum meistens als etwas Selbstverständliches wahr. Sie ist einfach da und muss nicht groß besprochen werden. Klar sind Luft und Wetter Teil unseres alltäglichen Sprachgebrauchs, denn manchmal brauchen wir ein reinigendes Gewitter, vor allem, wenn es mal wieder dicke Luft gab, jemand nur heiße Luft von sich gegeben hat und wir uns den Kopf mal wieder richtig freipusten lassen müssen. Ansonsten ist Luft aber eben nur Luft.

Die Luft ist ein Stoffgemisch. Von allen Stoffen der Atmosphäre haben wir aber nur zu einem Einzelbestandteil der Luft ein vertrautes Verhältnis, nämlich zum Wasser: Mit oder ohne Wolken sieht unsere Atmosphäre ganz anders aus. Wasser ist unser Lebenselixier. Ohne Wolken gäbe es keinen Regen und ohne Regen wäre alles Wüste. Wir kennen gefrorenes, flüssiges und verdampftes Wasser. Ja, wir selbst bestehen zu etwa zwei Dritteln aus Wasser! Wir könnten zwar auch die chemisch korrekte Bezeichnung für die hinter Wasser stehende Verbindung H_2O benutzen, aber wer weiß schon etwas mit Dihydrogenmonoxid anzufangen? Der Rest der Luft ist aber ein Gemisch aus verschiedenen Stoffen, die wir kaum einzeln wahrnehmen.

Kohlendioxid oder Ce-Oh-Zwei

Damit kommen wir nun zu Kohlendioxid oder CO_2. In der Chemie wurden Formeldarstellungen wie H_2O oder CO_2 vor etwa zweihundert Jahren eingeführt. Das Wort „Kohlendioxid" spricht diese Formel CO_2 in Worten aus. Es ist also ein sehr technischer Begriff, der jünger als zweihundert Jahre ist. Vom Begriff her ist Kohlendioxid damit genauso abstrakt wie viele andere chemische Substanzen, beispielsweise der beliebig gewählte Stoff V_2O_5 mit dem den schönen Namen Divanadiumpentoxid: Im Gegensatz zum Wasser als Begriff für H_2O gibt es keinen Eigennamen für CO_2. Wir haben nur die beiden synonymen Aussprachen der chemischen Formel, nämlich „Kohlendioxid" und „CeOhzwei".

Diese sprachliche Auseinandersetzung soll verdeutlichen, wie wenig unsere Sinne mit Kohlendioxid vertraut sind und wie fremd uns dieser Stoff im Grunde ist: CO_2 ist farb- und weitgehend geschmack- und geruchlos. Wobei die Geruchlosigkeit eigentlich erstaunlich ist, denn schließlich entsteht CO_2 doch bei Verbrennungsprozessen' und die verbinden wir mit Rauch, der stinkt, unangenehm und giftig ist. CO_2 ist zwar auch ein Rauchbestandteil, ist aber weder stinkend, schlecht schmeckend oder giftig. Also selbst im Rauch, der doch den Moment der Entstehung von CO_2 anzeigt, machen wir keine Sinneserfahrung mit diesem merkwürdigen Stoff.

Eine Schwierigkeit bei Diskussionen über den Umgang mit dem Klimawandel ist mit Sicherheit, dass wir mit den problematischen Luftbestandteilen wie CO_2 und weiteren Spurengasen mit Treibhauswirkung keine sinnlichen Erfahrungen machen. Sollten uns diese unsinnlichen Stoffe etwa zu Verhaltensänderungen bringen? Die Diskussionen wären bestimmt viel einfacher zu führen, falls der steigende CO_2-Anteil unsere Luft allmählich in ein grünes, stinkendes Etwas verwandeln würde. Die Realität ist aber nun einmal so wie sie ist. Wir sind auf unsere Vernunft angewiesen, weil uns die Sinne bei diesem Thema nichts mitteilen.

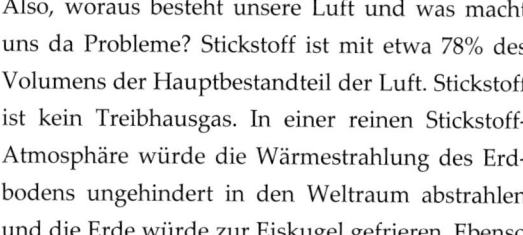

Also, woraus besteht unsere Luft und was macht uns da Probleme? Stickstoff ist mit etwa 78% des Volumens der Hauptbestandteil der Luft. Stickstoff ist kein Treibhausgas. In einer reinen Stickstoff-Atmosphäre würde die Wärmestrahlung des Erdbodens ungehindert in den Weltraum abstrahlen und die Erde würde zur Eiskugel gefrieren. Ebenso wie Stickstoff ist auch Sauerstoff mit einem Anteil von knapp

21% kein Treibhausgas. Dann gibt es noch das Edelgas Argon mit knapp 1% Anteil – auch kein Treibhausgas. Moment mal: 78% + knapp 21% + knapp 1% - das ergibt fast hundert Prozent. Da bleibt für den Rest nicht mehr viel übrig! Der Stoff an vierter Stelle in der Häufigkeit ist dann schon CO_2 mit 425ppm (bitte beachten: Das ist der Stand für das Jahr 2025. Falls Sie den aktuellen Wert googeln, wird er höher liegen, denn er steigt jedes Jahr!). Die ebenfalls recht unbekannte Einheit für den CO_2-Anteil lautet ppm und steht für „**P**arts **P**er **M**illion". ppm lässt sich aber einfach in eine sehr gut emotional bewertbare Einheit umrechnen: Einfach das Komma um drei Stellen nach links schieben und siehe da: Die CO_2-Konzentration der Atmosphäre beträgt 0,425 Promille.

Rational ist der Vergleich zum Alkoholpegel natürlich sinnlos, aber um den Führerschein' bei 0,42 Promille entzogen zu bekommen, muss man zusätzlich noch eine gefährliche Fahrweise vorweisen. Erst bei 0,5 Promille erfolgt der Führerscheinentzug grundsätzlich immer, ohne Vorbehalt. Da wir mit unserem Verhalten den CO_2-Gehalt der Atmosphäre kontinuierlich erhöhen, könnte uns auch bald der Entzug der Atmosphären-Fahrerlaubnis drohen.

Weil Kohlendioxid so wichtig für Ihre World-Life-Balance ist, sollten wir das Bild der vier-Sportplatz'-Arena' um den CO_2-Anteil ergänzen. Am besten stellen wir uns den CO_2-Gehalt der World-Life-Atmosphäre als eigene Ebene vor. Wir platzieren das CO_2 nicht in Meereshöhe der World-Life-Atmosphäre, damit Sie auf dem Boden weiter vernünftig atmen können. 0,425 Promille der zehn Kilometer hohen Atmosphäre ergeben eine Schicht von vier Metern fünfundzwanzig reinem CO_2, während die übrigen knapp 9996 Meter dann komplett frei von Kohlendioxid wären. Übrigens ist die Dicke der CO_2-Schicht im Bild im Verhältnis zur zehn Kilometer hohen Restatmosphäre stark vergrößert gezeichnet und wie Sie sehen, sehen Sie trotzdem fast nichts!

In der Beschreibung der Verletzlichkeit der Erde haben wir mit „Earthrise" begonnen, mit der kleinen blauen Kugel im All. Dann haben wir uns in die Atmosphäre hinein gezoomt, einen unscheinbaren, schwachen Schleier beim seitlichen Weltraumblick auf die Erde. Und nun stellen wir fest, dass es bei diesem schwächsten Teil der Erde wiederum nur auf einen winzigen Bruchteil ankommt – ausgerechnet den winzigen Bruchteil CO_2-Gehalt der Atmosphäre, den die Menschheit mit ihrem Tun verändert: Wir sind am Kern des Problems angekommen.

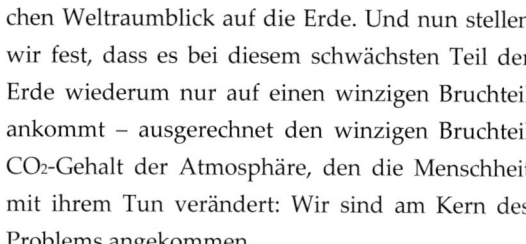

Für manche Menschen ist es überraschend, dass eine so geringe Menge CO_2 in der Atmosphäre eine so große Auswirkung hat. Dabei kennen wir viele große Effekte durch kleine Mengen: Ein Mensch kann zu 99,95% nicht aus Alkohol bestehen, aber die 0,5 Promille Alkohol machen ihn trotzdem fahruntüchtig. Die kleine Schmerztablette', die im ganzen Körper das Schmerzempfinden reduziert. Die wenigen Tropfen Tinte', die eine große Menge klares Wasser eintrüben. Die dünne Metallschicht', die aus einer Fensterscheibe' einen Spiegel' macht. Das wenige CO_2 in der Luft, das die Wärmestrahlung des Erdbodens ins Weltall zurück zur Erde reflektiert und so für die Erderwärmung sorgt.

So macht ein scheinbar winziger Bruchteil an CO_2 in unserer Atmosphäre den entscheidenden Unterschied. Und auf einen winzigen Bruchteil kann menschliches Handeln natürlich viel schneller Einfluss nehmen als auf einen großen Anteil.

Diese vier Meter fünfundzwanzig hohe CO_2-Schicht in Ihrer World-Life-Atmosphäre hat ein Gewicht von ziemlich genau 400 Tonnen oder zehn vollgeladenen LKW' mit Hängern'. Falls Sie also mal im Internet' ihren jährlichen CO_2-Fußabdruck berechnen und zum Beispiel den deutschen Durchschnittswert von sieben Tonnen CO_2 pro Jahr erhalten, dann können Sie abschätzen, welchen erheblichen Einfluss Ihr Handeln beispielsweise innerhalb des nächsten Jahrzehnts auf Ihre World-Life-Atmosphäre haben wird.

Warum ausgerechnet CO_2?

Was macht nun ein Gas zum Treibhausgas oder eben auch nicht? Warum regt sich niemand über 78% Stickstoff, sondern nur über 0,425 Promille CO_2 auf? Die folgende Erklärung wird etwas abstrakt, also bitte ich Sie um Geduld beim Lesen:

Die Straßenverkehrsordnung hat im §27, Absatz 6, ein einfaches, klar verständliches Verbot: „Auf Brücken darf nicht im Gleichschritt marschiert werden." Möglicherweise haben Sie auch schon selbst einmal eine solche Erfahrung gemacht. Sei es, dass Wind eine schlanke Brücke' zum Schwingen gebracht hat oder es gab vielleicht doch jemanden, der oder die auf der Brücke' mehrere Schritte in einem gleichmäßigen Rhythmus gemacht hat – bevorzugt so mit

etwa einem Schritt in der Sekunde? Es ist überraschend, dass sich ein so großes Bauwerk' durch scheinbar geringe, aber wiederkehrende Krafteinwirkungen in große Schwingungen versetzen lässt, so dass man schnellstmöglich umdrehen und die Brücke' eilig wieder verlassen möchte. Zumal eine reale Zerstörungsgefahr gegeben ist, daher das berechtigte Verbot in der Straßenverkehrsordnung! Ein derartiges Aufschwingen wird durch das Anregen der sogenannten Resonanzfrequenz hervorgerufen. Brücken' haben nun die unangenehme technische Eigenschaft, dass deren Resonanzfrequenz ganz in der Nähe unserer üblichen Schrittfrequenz von etwa einem Hertz (für einen Schritt pro Sekunde) liegt. Nur bei einer Übereinstimmung zwischen Anregungs- und Resonanzfrequenz kommt es zum Aufschwingen. Eine irische Stepdance-Gruppe könnte wahrscheinlich gefahrlos ihr Können auf Brücken' vorführen, denn deren Schrittfrequenz beim Stepdance ist üblicherweise sehr viel höher als ein Hertz und die Resonanzfrequenz der Brücke' würde nicht angeregt werden.

Bei fast allen Körpern gibt es diese Resonanzfrequenzen. Je kleiner ein Körper ist, desto schneller kann er schwingen und desto höher ist seine Resonanzfrequenz. Die kleine Geige klingt höher als der riesige Kontrabass. Auf atomarer Ebene sind die Resonanzfrequenzen dann so hoch, dass sie im Frequenzbereich der Wärmestrahlung der Erde liegen. Wir erinnern uns: An einem wolkigen Winterabend reflektierte die Wolkendecke die Wärmestrahlung der Erde zurück zum Erdboden, der sich dadurch langsamer abkühlte. Die

 Resonanzfrequenz von CO_2-Molekülen liegt nun in einem eigentlich für die Wärmestrahlung der Erde durchsichtigen Frequenzbereich. Wenn sich nun der CO_2-Anteil in der Luft ver-

größert, dann schließt sich dieser für die Wärmestrahlung der Erde bisher freie Bereich.

In vorindustrieller Zeit befand sich die Erde in einem Temperaturgleichgewicht zwischen der Abkühlung über die eigene Wärmestrahlung und der Erwärmung durch den Sonnenschein. Wir hatten bereits festgestellt, dass CO_2 für uns unsichtbar ist. Also kann der Sonnenschein die Erde weiterhin unabhängig vom CO_2-Gehalt erwärmen. Die Abgabe von Wärme an den Weltraum wird durch mehr Kohlendioxid aber verringert, so dass es zu einer allmählichen Erderwärmung kommt.

Die zahlenmäßig korrekte Berechnung der Wärmebilanz der Erde ist eine ausgesprochen anspruchsvolle Aufgabe für die Klimaforschung. Den Effekt im Grundsatz zu verstehen, ist aber hoffentlich nicht zu schwierig gewesen!

Der menschengemachte CO_2-Anstieg bis heute

Ich bin stolz auf eine familiäre Gesprächserinnerung, die bis tief ins neunzehnte Jahrhundert zurück reicht: Mein Vater erzählte mir, dass sein Opa ihm bei den Hausaufgaben geholfen hätte, als er im Jahr 1933 in die erste Schulklasse' kam. Dieser Opa - mein Uropa – wurde am 30.6.1852 geboren. Haben Sie in Ihrer Familienhistorie auch soweit zurückreichende Erinnerungen? Jedenfalls ging mein Uropa im Sommer 1859 als siebenjähriger Junge in eine erste oder zweite Schulklasse' des damaligen Königreichs Hannover'. Er lernte dort die Dinge,

die ihm siebzig Jahre später bei der Hausaufgabenhilfe für meinen Vater nützlich sein würden. Im diesem Sommer 1859, genauer gesagt am 28. August, geschah aber noch etwas anderes, das unsere Welt seitdem verändert hat: Der Amerikaner Edwin L. Drake hatte bereits seit längerem vergeblich nach Öl' gebohrt. Als die Arbeiter an diesem Morgen wieder zu ihrem bereits einundzwanzig Meter tiefen Bohrloch' zurückkehrten, da stellten sie fest, dass Rohöl' aus dem Loch quoll. Es war die erste erfolgreiche Ölbohrung' der Geschichte. Der damit einsetzende Öl'-Boom des industriellen Förderns' und Verbrennens' fossiler Rohstoffe' weitet sich seit diesem Tag bis heute immer weiter aus, wobei der eigentliche Öl'- und Gas'-Boom erst nach dem zweiten Weltkrieg' richtig an Fahrt aufnahm und bis heute andauert.

Sie sehen hier zwei Graphiken, die den weltweiten Energiebedarf' und den Anstieg der CO_2-Konzentration in der Erdatmosphäre auf der gleichen Zeitachse zeigen. Die Graphiken beginnen mit der ersten erfolgreichen Ölbohrung' durch Edwin Drake und reichen bis heute.

In der oberen Graphik ist der weltweite Energiebedarf' auf drei Energiequelle aufgeteilt: Die fossilen Energieträger' Öl', Gas' und Kohle' decken den menschlichen Energiehunger aktuell zu drei Vierteln ab. Die grüne Kurve für erneuerbare Energie fasst eine Reihe von Energieträgern zusammen: Biomasse wie Holz und Mais für Biogasanlagen, sowie Wasserkraft, Wind, Solar und andere. In den letzten Jahren ist der Anteil der Erneuerbaren weltweit auf etwa ein Fünftel gestiegen, hauptsächlich durch den Ausbau von Windrädern und Solaranlagen. Schließlich ist Kernenergie als eigene Kategorie dargestellt. Sie ist mit einem Anteil von unter vier Prozent aber ein irrelevantes Nischenprodukt.

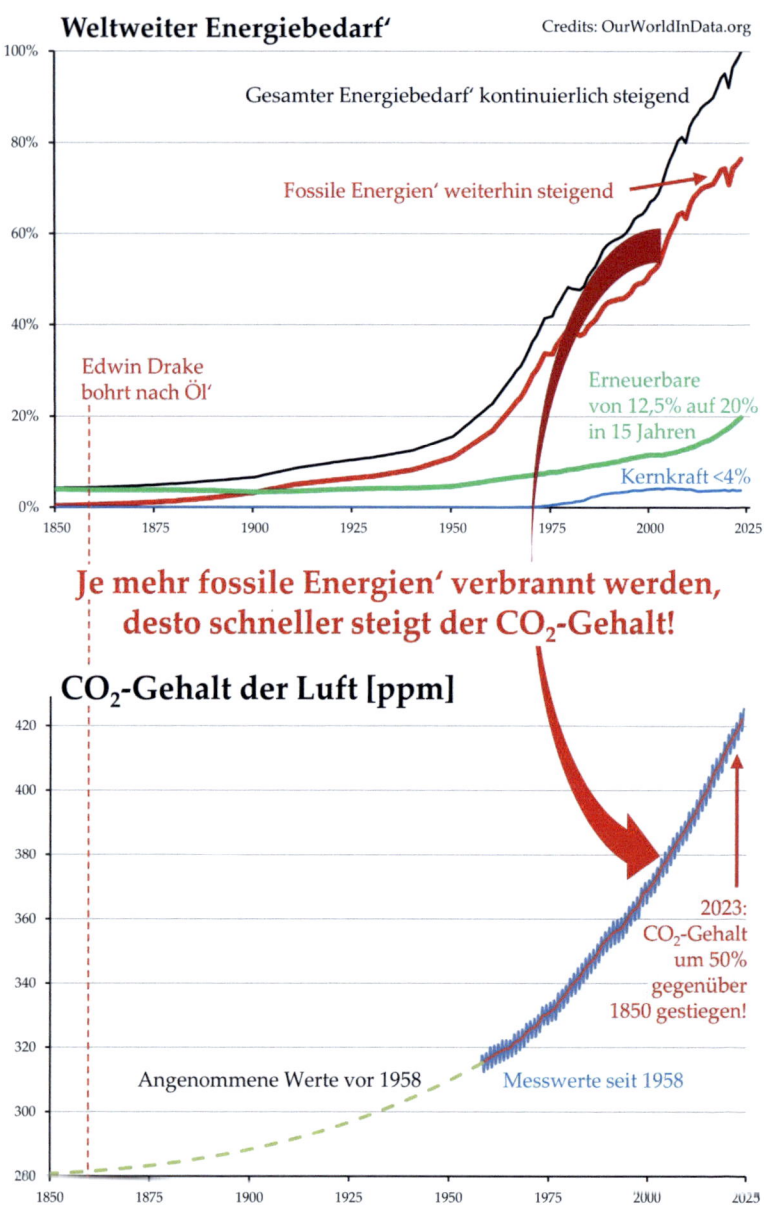

Die untere Graphik zeigt den Anstieg des CO_2-Gehalts der Luft. Systematische und unterbrechungsfreie Messungen dazu wurden im Jahr 1958 durch den amerikanischen Klimaforscher Charles Keeling gestartet. Zu diesem Zeitpunkt lag der CO_2-Gehalt bei etwa 315ppm oder 0,315 Promille. Da die industrielle Produktion von fossilen Brennstoffen' wie gerade gesehen schon hundert Jahre früher begann, kann die Keeling-Kurve natürlich nicht den Anfang des CO_2-Anstiegs abbilden. Das ist deutlich zu sehen, denn der CO_2-Gehalt war bereits 1958 ansteigend. Da es keine exakten Messwerte aus der Zeit der Einschulung meines Urgroßvaters im Jahr 1859 gibt, verwendet die Wissenschaft einen geschätzten Startwert für die CO_2-Konzentration der Luft aus vorindustrieller Zeit von 280ppm oder 0,28 Promille. Im Jahr 2023 erreichte der CO_2-Gehalt einen Wert von 420ppm. Das ist ein Anstieg um fünfzig Prozent im Vergleich zum vorindustriellen Startwert.

Die zentrale Aussage der Graphik ist, dass der CO_2-Gehalt der Atmosphäre umso schneller steigt, je mehr fossile Energie' durch die Menschen verbrannt wird. Ein wenig überraschender Zusammenhang. Die Menschheit hat bei einem wichtigen Spurengas die Zusammensetzung unserer Atmosphäre verändert und sie tut es weiterhin.

Auch im Jahr 2025 hat die Förderung' fossiler Energien' erneut zugenommen, so dass sich der Anstieg der CO_2-Konzentration in der Erdatmosphäre weiter beschleunigt. Aktuell nimmt der CO_2-Gehalt jährlich um etwa 3ppm zu: 2015 waren es noch 400ppm, im Jahr 2025 sind es 425ppm, 2026 dann 428ppm, 2035 voraussichtlich etwa 450ppm und so weiter und so fort…

Die World-Life-Arena' in drei Dimensionen

Das direkte Untereinander der beiden Darstellungen vom Verbrennen' fossiler Energieträger' hin zum Anstieg des CO_2-Gehalts in der Luft wirft eine Frage auf: Bleibt denn wirklich das ganze beim Verbrennen' erzeugte CO_2 in der Atmosphäre? Gibt es denn keinen anderen Ort dafür? Zur Beantwortung ist es am einfachsten, sich gedanklich auf den Anstoßpunkt' der eigenen World-Life-Arena' zu begeben und den Blick einmal in alle Richtungen schweifen zu lassen:

CO_2 zersetzt sich leider nicht von allein – keine Halbwertszeit, keine Verwesung, eben eine stabile Verbindung. Durch einfaches Abwarten wird es nicht weniger.

Schauen wir nach oben: Zum Glück entweicht das Kohlendioxid nicht in den Weltraum. Es wäre ganz schlecht, wenn unsere Erde ihre Atmosphäre nicht halten könnte. Vor allem, weil CO_2 ein schwereres Gas als Sauerstoff oder Stickstoff ist und ein Entweichen von Gasen in den Weltraum bei den leichtesten, flüchtigsten Gasen beginnen würde und CO_2 bis zuletzt übrigbliebe.

In die World-Life-Nachbararenen' wollen wir vereinbarungsgemäß auch nichts abgeben. Folglich bringt der suchende Blick zu den Seiten keine Abhilfe.

Es bleibt nur noch der Blick nach unten. Was ist denn eigentlich mit dem Meer? Schließlich umfasst Ihre World-Life-Arena' neben dem einen trockenen Sportplatz' auch noch drei weitere, von Meerwasser bedeckte Sportplätze'! Wie es wohl unter der Meeresoberfläche Ihres World-Life-Ozeans aussieht? Es geht jedenfalls ziemlich weit nach unten, denn das Meer hat eine mittlere Tiefe von fast vier Kilometern. An der Wasseroberfläche kommt es zu einem allmählichen Austausch eines Teils des zusätzlichen CO_2 in der Luft mit dem Meerwasser. Die Folgen dieses Prozesses haben wir unter dem Begriff „*Ozeanversauerung*" bereits als eine der sieben überlasteten planetaren Grenzen kennengelernt. Der Ausgleichsprozess über die gesamte Meerestiefe dauert sehr lange. Der aktuelle Wissensstand lautet, dass etwa ein Drittel des in die Luft abgegebenen zusätzlichen CO_2 in den letzten zweihundert Jahren vom Meer aufgenommen wurde. Immerhin trägt dieses CO_2 dann nicht mehr über die Reflexion der Wärmestrahlung zur weiteren Erderwärmung bei!

Für Ihre World-Life-Arena' bedeutet dies, dass wir uns neben der Atmosphäre und ihrer vier Meter fünfundzwanzig dünnen CO_2-Schicht auch noch das fast vier Kilometer tiefe Meer vorstellen. Dorthin können wir gedanklich ein Drittel des CO_2 aus fossilen Brennstoffen' abgeben, wo es dort die Ozeanversauerung antreibt.

Damit haben wir bei unserem Rundum-Blick alles betrachtet mit Ausnahme der Landfläche in der Größe eines Sportplatzes'. Dieses Stück Land hat einen eigenen Abschnitt verdient, denn eine weit verbreitete Meinung lautet, dass die Bäume und andere Pflanzen es schon richten werden.

Aber es gibt doch den Kohlenstoffkreislauf!

In Diskussionen um den Klimawandel wird häufig in etwa so argumentiert: *"Jeder hat doch schon in der Schule gelernt, dass Kohlendioxid essentiell für die Pflanzen ist, denn ohne CO_2 in der Luft gäbe es keine Photosynthese. Mehr Kohlendioxid in der Luft bedeutet ein verstärktes Wachstum von Pflanzen und Bäumen, so dass sich der CO_2-Gehalt in der Luft durch den Kohlen-*

stoffkreislauf von allein wieder reduziert – so wie sich in der Natur immer alles wieder ausgleicht."

Eine solche oder ähnliche Argumentation habe ich nicht nur von Skeptikern des menschengemachten Klimawandels gehört, sondern auch von Personen, die mehr oder weniger unbedarft in dieser Fragestellung sind – was ja nichts Schlimmes ist. Schließlich haben wir alle in der Schule' den Kreislauf des Lebens zum Thema gehabt, so dass beispielsweise die Bäume im Frühjahr Laubblätter bilden, die den Baum vor allem im Sommer wachsen lassen, im Herbst dann wieder abfallen und im Winter wieder vergehen. Dabei ziehen die Bäume das CO_2 aus der Luft und wandeln es um in Laubblätter und Holz. Beim Zersetzen der Laubblätter wird das im Frühjahr entnommene CO_2 dann im Herbst wieder an die Luft zurückgegeben. So entsteht ein Kohlenstoffkreislauf, der in Bezug auf die Laubblätter aber über das Jahr betrachtet ein Nullsummenspiel ergibt. Neben dem jährlichen Nullsummenspiel der Blätter gibt es dann den trägeren Kreislauf des Holzes, denn die Bäume sterben irgendwann ab. Die Mehrheit der abgestorbenen Bäume wird von Pilzen und Insekten wieder zu Humus umgewandelt. Dadurch entsteht das nächste CO_2-Nullsummenspiel, das einer neuen Waldgeneration als Nährstoff dient. Oder aber es passiert etwas, das viel besser für den CO_2-Gehalt der Atmosphäre wäre – und das ist erhoffte Clou im Kohlenstoffkreislauf: Die Bäume versinken im Moor und verwandeln sich langsam zu Torf', Kohle' oder Öl'. Damit haben wir dann wieder neue fossile Brennstoffe' zur Verfügung! Ist das CO_2-Problem damit gelöst, bzw. existiert es gar nicht?

Was ist am Argument vom Kohlenstoffkreislauf falsch?

Der Fehler ließe sich bereits mit einem Blick auf Ihre World-Life-Arena' finden: Wenn Sie den weltweiten Durchschnittsverbrauch von einer halben Badewanne' voll Erdöl' im Monat verbrennen – haben dann die paar Sträucher und Bäume auf Ihrem Sportplatz' die Chance, das ganze CO_2 wieder aus der Luft herauszuholen? Natürlich zählen dabei nur die Pflanzen auf Ihrem Sportplatz', die im Moor versinken und den gespeicherten Kohlenstoff dauerhaft mitnehmen! Schon das Bauchgefühl sollte doch sagen, dass hier die Verhältnismäßigkeit nicht stimmt.

Für eine gezielte Beurteilung der Frage lade ich Sie noch einmal zu einem Perspektivwechsel ein, um diese Frage wirklich eindeutig zu beantworten. Ein Perspektivwechsel so ähnlich wie wir es beim erhabenen Blick auf Berge und dem umgekehrten Earthrise-Blick auf die kleine blaue Kugel im Weltall bereits getan haben.

Dieses Mal geht es aber um unsere Perspektive auf die Zeit. Eine Generation wird häufig mit einer Länge von fünfundzwanzig Jahren angenommen. Seit dem Beginn der Ölförderung' im Jahr 1859 sind nun 167 Jahre vergangen, was folglich knapp sieben Generationen entspricht. Als 1859 also vielleicht Ihr Ur-, Ur-, Ur-, Ur-Großvater zur Volksschule ging und Edwin Drake zum ersten Mal erfolgreich nach Öl' bohrte – das liegt für uns doch unglaublich lange zurück. Gefühlt ist das eine Ewigkeit her. Wie lange hat die Erde aber gebraucht, um diese fossilen Brennstoffe' zu erzeugen?

Ich lade Sie ein, sich wie bei Google-Maps einmal von ganz weit weg durch mehrere Zoom-Vorgänge ins Detail hinein zu zoomen. Bei Google-Maps starten Sie beispielsweise aus der Gesamtansicht der Erde und Sie zoomen sich auf Ihre Wohnung. Wie oft müssen Sie zoomen?

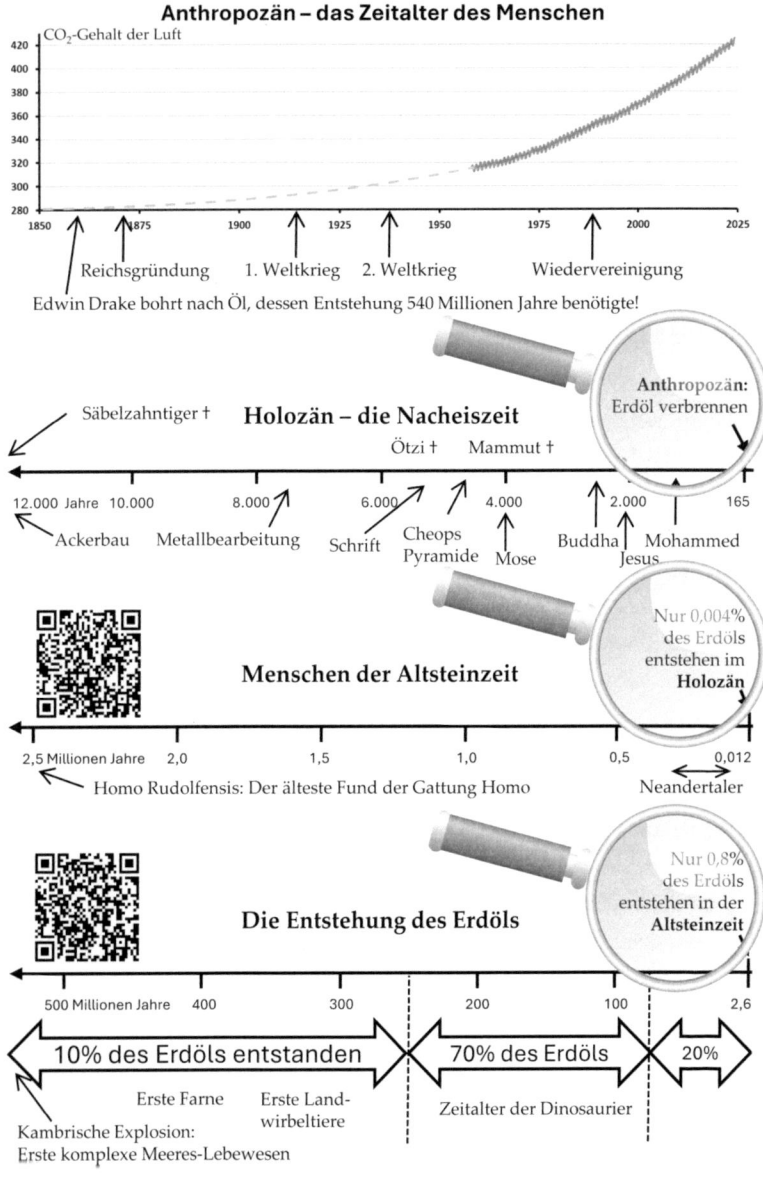

Dieser Perspektivwechsel startet in der Zeit, als die Entstehung der ältesten Erdölvorkommen' begann, in einem lange zurück liegenden Erdzeitalter, nämlich bei der „kambrischen Explosion", die vor 541 Millionen Jahren stattfand. Damals – noch vor dem Zeitalter der Dinosaurier – entwickelten sich im Meer erstmals komplexere Lebewesen mit Skeletten oder harten Schalen. Die Vielfalt des Lebens nahm sprunghaft zu und häufig wird dieser Zeitpunkt als Beginn der Entstehung von Erdöl' genannt. Erdöl' und unsere anderen fossilen Brennstoffe' entstanden dann über schwer vorstellbar lange Zeiträume hinweg. Es vergingen Jahrmillionen, und zwar vor, während und nach der Zeit der Dinosaurier. Nach deren Aussterben entwickeln sich die Säugetiere weiter und übernehmen das Ruder von den ausgestorbenen Riesenreptilien. Zu diesem Zeitpunkt war aber bereits der Großteil unseres heutigen Erdöls' entstanden. Zoomen Sie sich nun weiter in Richtung der Heute-Zeit, dann können irgendwann die ersten Frühmenschen über Knochenfunde nachgewiesen werden. So ist der Homo Rudolfensis mit einem Alter von zwei Millionen Jahren das ursprünglichste Wesen, das mit dem Titel Homo, also Mensch, benannt wird. Wir nähern uns weiter der Heute-Zeit. Eiszeiten kommen und gehen. Schließlich kommen Sie im Holozän an, der jetzigen Warmzeit. Erneut zoomen wir uns in immer kleinere Zeitabschnitte hinein, so dass Menschen beginnen, den Boden zu beackern und frühe Staaten zu bilden. Warum wohl so viele Säugetiere in dieser Zeit aussterben? Die Stifter der heutigen Weltreligionen werden geboren: Mose, Buddha, Jesus, Mohammed.

Und dann kommt im letzten Zoom-Schritt das zeitnaheste kleine Detail: Edwin Drake pumpt Jahrmillionen altes Öl' aus der Erde und der Anteil von Treibhausgasen in unsere Atmosphäre steigt von Jahr zu Jahr!

Der Perspektivwechsel soll Sie zum Nachdenken über unseren Umgang mit fossilen Energieträgern' anregen: Wie viele Generationen hat es gedauert, bis natürliche Prozesse dieses Erdöl' erzeugt hatten? Nun, die Entstehung des Erdöls' begann, als unsere Ur-, Ur-, Ur-, Ur-, Ur-, Ur-, Ur-,  Ur-, Ur-, Ur-, Ur-, Ur-, Ur-, Ur-, Ur-, Ur-, Ur-, Ur-, Ur-, Ur-, Ur-, Ur-, Ur-, Ur-, Ur-, Ur-, Ur-, Ur-: Nein, in einem gedruckten Buch' lassen sich diese Millionen von Generationen nicht darstellen, die diesem unbegreifbar hohen Zeitberg entsprechen. Ein so dickes Buch' würde in kein Regal passen. In elektronischer Form ist das aber möglich. Folgen Sie bitte dem QR-Code, um zu sehen, wie viele Generationen nötig waren, um die fossilen Brennstoffe' zu erzeugen, die wir erst seit gerade einmal sieben Generationen wieder aus der Erde fördern! Obwohl wir alle das Verbrennen' fossiler Energieträger' schon unser ganzes Leben lang als etwas Selbstverständliches praktizieren, betreiben wir dabei in Wahrheit einen rasanten Raubbau an der Natur. Die auf natürliche Weise während tausend Jahren entstandene Menge an Öl', Erdgas' und Kohle' verbrennt die Menschheit aktuell an jedem einzelnen Tag. Wie könnte der Kohlenstoffkreislauf dagegen ankommen?

Das wäre so, als wenn Sie mit einer Hand-Schwengelpumpe' beispielsweise den Bodensee leer pumpen wollten: Ja, das kann theoretisch funktionieren. Sie bräuchten allerdings unbeschränkt viel Zeit dafür. Das CO_2, das wir über das Verbrennen' fossiler Rohstoffe' in unsere Atmosphäre entlassen, ist gekommen, um zu bleiben. Und es wird immer mehr werden, bis wir endlich das Verbrennen' fossiler Rohstoffe' beenden.

Tatsächlich ist nicht der Kohlenstoffkreislauf die wesentliche CO_2-Senke auf unserem Planeten, sondern es ist die oben bereits genannte Ozean-Versauerung mit all ihren schädlichen Auswirkungen auf Meereslebewesen: In diesem langsamen Prozess wandelt sich das CO_2 der Atmosphäre zu Kohlensäure im Wasser. Zusammen mit anderen im Meerwasser gelösten Stoffen verbindet sich Kohlensäure dann sehr langsam zu Kalkstein, der sich nach und nach auf dem Meeresboden absetzt. Es wäre aber fatal, falls Sie sich auf diesen Jahrtausende währenden Prozess verlassen wollten.

Das vereinbarte Ende des CO_2-Anstiegs

Im Jahr 2015 beschlossen 197 Staaten das Pariser' Klimaabkommen. Die allermeisten dieser Staaten haben das Abkommen dann auch über die nationalen Parlamente' ratifiziert. Das als erstes genannte Ziel in Artikel 2 lautet, dass „der Anstieg der durchschnittlichen Erdtemperatur deutlich unter 2 °C über dem vorindustriellen Niveau gehalten wird und Anstrengungen unternommen werden, um den Temperaturanstieg auf 1,5 °C über dem vorindustriellen Niveau zu begrenzen." Im weiteren Text heißt es „Zum Erreichen des in Artikel 2 genannten langfristigen Temperaturziels sind die Vertragsparteien bestrebt, so bald wie möglich den weltweiten Scheitelpunkt der Emissionen von Treibhausgasen zu erreichen".

Um zu bewerten, wie es zehn Jahre nach dem Pariser' Klimaschutzabkommen mit der Erreichung dieser Ziele aussieht, schauen wir uns die Keeling-Kurve noch einmal an, dieses Mal aber mit dem Fokus auf das vergangene Jahrzehnt und eine Prognose für die nächsten zwanzig Jahre:

Wenn Sie sich die Graphik anschauen, dann wird im elften Jahr nach dem Abschluss des Pariser' Klimaabkommens überdeutlich, dass es zwar das Abkommen gab, dass aber auf der Keeling-Kurve keine Reaktion darauf erkennbar ist: Ein Abflachen der Kurve hat in den letzten Jahren nicht stattgefunden. Um den Temperaturanstieg bei 1,5°C zu stoppen, müsste der Anstieg des CO_2-Gehalts in der Atmosphäre bei der eingezeichneten dicken roten Linie enden. Diese Linie entspricht der ganz am Anfang des Buchs' genannten ziemlich unverständlichen Zahl von 250 Milliarden Tonnen als weltweites CO_2-Restbudgets.

Die dicke rote Linie ist das Stoppschild', das 2015 beschlossen wurde. Nun stellen wir fest, dass die Menschheit nicht am Stoppschild' hält, sondern stattdessen immer noch mit dem Fuß auf dem Gaspedal' auf dem Beschleunigungsstreifen' unterwegs ist. Wir überfahren das Stoppschild' fast unbemerkt mit voller Geschwindigkeit, denn die Zunahme des CO_2-Gehalts hat im letzten Jahrzehnt nicht abgenommen, sondern sie hat sich sogar weiter beschleunigt.

In der Graphik finden Sie eine gestrichelte blaue Linie. Diese verlängert die aktuelle Zunahme des CO_2-Gehalts bis zum Jahr 2045. Prognosen sind bekanntlich schwierig, besonders wenn sie die Zukunft betreffen, doch der Rückblick auf die Keeling-Kurve in den vergangenen Jahrzehnten gibt wenig Anlass zu der Vermutung, dass es im kommenden zwanzig Jahren zu einer wesentlichen Verlangsamung kommen wird. Schließlich sprechen auch die Ergebnisse der letzten Weltklimakonferenzen' nicht davon, dass die Bekämpfung des Klimawandels weltweit eine zunehmende

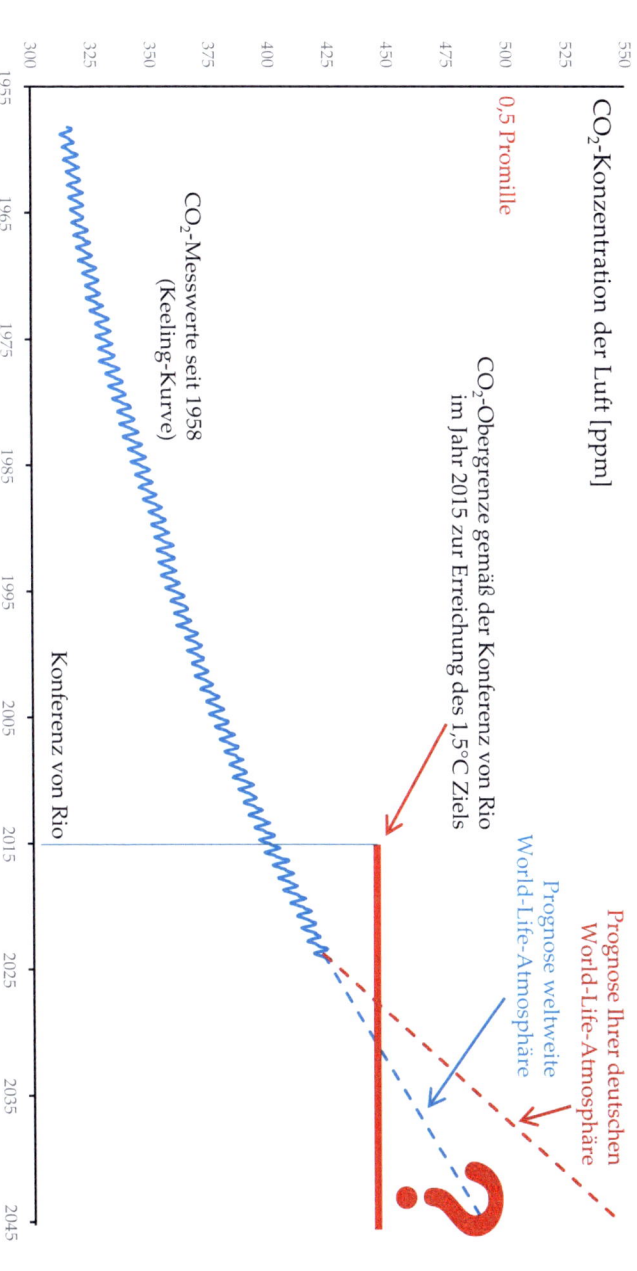

Priorität bekommen würde. Das vereinbarte 1,5°-Ziel wird die Menschheit ziemlich sicher verfehlen, so dass wohl bald die Frage nach einem Temperaturanstieg von zwei, drei oder mehr Grad Celsius in den Bereich des wahrscheinlichsten Szenarios rücken wird.

Dann gab es am Anfang des Buchs' noch eine zweite unverständliche Zahl, nämlich die jährlichen deutschen CO_2-Emissionen in Höhe von 612 Millionen Tonnen. Bitte stellen Sie sich gedanklich noch einmal auf den Anstoßpunkt' Ihrer World-Life-Arena'! Alle Ressourcen', die Sie benötigen, kommen von dieser Arena' und auch alle Abfälle' bleiben hier. Nun fördern und verbrennen Sie als durchschnittlicher deutscher Konsument monatlich eine Badewanne' voll Öl' aus dem Boden. Das ist fast doppelt so viel wie bei einer weltweiten Durchschnittsperson. Für die Keeling-Kurve Ihrer persönlichen World-Life-Atmosphäre würde sich statt der blau gestrichelten die rot gestrichelte Linie ergeben: Die Keeling-Kurve einer typischen deutschen World-Life-Arena' ginge durch die Decke' wie eine Rakete'. Unsere World-Life-Balance ist verloren gegangen! Wir Deutschen sind keine Klimavorbilder, sondern üble CO_2-Schleudern.

Auf dem Anstoßpunkt'

Vor dem Anstoß zur nächsten Halbzeit ziehen wir eine kurze Zwischenbilanz:

→ Ihre World-Life-Atmosphäre weist auf die Achillesferse dieser verletzlichen Welt hin: Eine dünne Schicht CO_2.

→ Die Menschen vergrößern den CO_2-Anteil ihrer World-Life-Atmosphäre durch das Verbrennen' fossiler Energiequellen' kontinuierlich weiter.

Die nächsten beiden Halbzeiten fokussieren sich auf ein Verständnis für unseren gesellschaftlichen Umgang mit dem Klimawandel und einen Ausblick auf die mögliche Zukunft. Ihre World-Life-Arena' sollte dabei als Hintergrundbild weiterhin in Erscheinung treten.

Unser Umgang mit Tsunamis

Haben Sie einen Sehnsuchtsort? Einen, den Sie mit guten Erinnerungen verbinden und den Sie gerne wieder besuchen möchten? Vielleicht einen Sandstrand auf einer Insel im Wattenmeer?  Den Blick voraus aufs Meer und eine Insel hinter Ihnen, die anscheinend nur aus ein paar Schippen Sand besteht, der von Wind und Wellen hier zufällig zusammengeweht wurde? Eine Insel ohne Autos', ohne Hektik, zwar irgendwie auch verletzlich, aber doch ein Schutzraum, um die Seele baumeln zu lassen?

Wahrscheinlich haben Sie einen anderen Sehnsuchtsort, aber kann es sein, dass dieser auch mit Wasser zu tun hat, mit einem See oder dem Meer? Die Küste hat für viele Menschen etwas Magisches an sich. Es ist ein begrenzter Ort, immer in Streifenform, aber mit Blick auf die Weiten des Meeres. Ich genieße es, an der Meeresküste zu sein. Das hat auch etwas damit zu tun, dass das Meer auch anders kann, ich mich an der Küste aber vor einem sicheren Hinterland geborgen fühle. Aber so manches Schiff' ist im Sturm auch schon in Seenot geraten oder sogar gesunken. Die deutschen Küsten können dabei unterschiedlich betroffen sein: Bei einem Sturm von Osten drückt das Meer an die eher wenig befestigte deutsche Ostseeküste. Zwei Meter siebenundzwanzig lautete der Pegelstand am 21. Oktober 2023 in Flensburg', was die höchste Flutwelle seit 1872 bedeutete. In der Deutschen Bucht hingegen besteht bei Nordweststurm die Gefahr einer noch höheren Sturmflut. Daher ist die Nordseeküste über hohe, durchgehende Deiche' auf höhere Wasserstände vorbereitet als die Ostsee. Bei der schwersten Nordsee-Sturmflut des 20. Jahrhunderts am 3. Januar 1976 kam es daher trotz eines Pegelstandes von sechs Meter fünfundvierzig zu keinen Deichbrüchen, wenigstens nicht im Hamburger' Raum. Ganz anders als vierzehn Jahre zuvor, als bei der um fast einen Meter niedrigeren Sturmflut am 17. Februar 1962 in Hamburg' die damals noch niedrigeren Deiche' brachen und über dreihundert Menschen ihr Leben verloren.

Eine ganz besondere Nähe zur Naturgewalt des „Blanken Hans" erfahren dabei die Bewohnerinnen und Bewohner der Halligen, denn hier gibt es keine Deiche', sondern nur die Warften', also von Menschen aufgeschüttete Hügel, die als Grundfläche für die Gebäude' der Menschen dienen und die bei Sturmflut der einzige Schutz vor dem Wasser sind. Es ist  beeindruckend, ein solches „Land unter"-Ereignis allein nur im Film' zu erleben. Beeindruckend ist aber auch die Selbstsicherheit, mit der die Menschen mittlerweile mit einem solchen Ereignis umgehen: Die Wettervorhersage prognostiziert den kommenden Wasserstand in hoher Genauigkeit. Die Vorbereitungen, der Sturm selbst und die anschließenden Aufräumarbeiten zeigen trotz allem eine bemerkenswerte Gelassenheit. Durch die Jahrzehnte langen Erfahrungen und die guten Modellrechnungen' ist der Gegner bekannt und kann hoffentlich auch beim nächsten, bestimmt wieder kommenden „Land unter" beherrscht werden.

Über das Prinzip einer Sturmflut haben wir über Jahrhunderte viele Erfahrungen gesammelt: Wind bläst über das Meer und erzeugt Wellen. Je stärker der Sturm, desto höher die Wellen. Weil ein Sturm auch über Stunden oder Tage immer von einer Richtung zur Küste blasen kann, verlagert sich das Wasser allmählich in diese Richtung und führt dort zu einem Anstieg des Meeresspiegels. Obendrauf kommen dann noch die Wellen, gegebenenfalls der Tidenhub und zusammen führt das dann zur Sturmflut.

Was passiert aber, wenn eine gefährliche Flut durch einen anderen Mechanismus als Wind erzeugt wird? Ein Mechanismus, der nicht zum Erfahrungsschatz der Menschen an der Küste gehört, der unabhängig vom Wetter ist und unvorbereitet kommt? Bei Sturm bewegt der Wind die Meeresoberfläche. In tiefer liegenden Wasserschichten werden die dort schwimmenden Fische den Sturm dagegen kaum bemerken. Was passiert aber, wenn die Flut nicht von der Wasseroberfläche, sondern vom Meeresboden ausgeht? Wenn sich der Meeresgrund durch ein unterseeisches Erdbeben schlagartig bewegt? Stellen Sie sich beispielsweise vor, dass sich der Meeresgrund in dreitausend Meter Tiefe um einen Meter hebt! Dann drückt eine dreitausend Meter hohe Wassersäule nach oben, zunächst zwar nur um einen Meter. Diese Welle vom Meeresboden bis zur Oberfläche läuft aber bald auf eine Küste zu, wo die Meerestiefe von dreitausend Meter ausgehend immer weiter abnimmt. Der Wellenteil vom Meeresboden drückt dann nach oben zur Wasseroberfläche und vor der Küste bildet sich eine immer höher auftürmende Welle: Ein Tsunami rollt auf die Küste zu, unabhängig vom Wetter, für die Menschen unangekündigt und mit einer ihnen unbekannter Gewalt, denn dieser Mechanismus gehört an vielen Küstenabschnitten nicht zum Erfahrungsschatz der Menschen. Ein Tsunami, der so schrecklich sein kann, dass es hierzu in diesem Buch' keinen QR-Code gibt.

Beim unterseeischen Weihnachts-Erdbeben 2004 vor der Nordwestküste Sumatras überspülte der auf das Beben folgende Tsunami nahe der indonesischen Stadt Leupung' einen Landabschnitt in einundfünfzig Meter Höhe. Die Erdbebenwellen breiteten sich sternförmig vom Epizentrum über fast den gesamten Indischen Ozean aus und führten in dreizehn Staaten zu Todesopfern. In keinem der Länder gab es spezielle Tsunami-Schutzbauten' wie Deiche' oder Ähnliches. Auch ein Tsunami-Frühwarnsystem' gab es 2004 im Indischen Ozean noch nicht. Und damit liefen die Monsterwellen auf sämtliche Betroffene ohne Vorwarnung zu. Sie waren von einer Gefahr bedroht, die nicht zu ihrem Erfahrungsschatz gehörte. Vom Sichtkontakt und dem Erkennen der Gefahrensituation bis zum Kontakt mit den Wellen lagen wohl oft nur wenige schreckliche Sekunden. Ohne ein Frühwarnsystem' war „Rette sich wer kann" die einzig mögliche, leider oft nicht mehr lebensrettende Maßnahme.

Die meisten Tsunamis ereignen sich im Pazifischen Ozean. So ist auch der Begriff „Tsunami" ein japanisches Lehnwort mit der wörtlichen Übersetzung „Hafenwelle". Er wurde durch japanische Fischer geprägt, die vom Fischfang zurückkehrten und im Hafen' alles verwüstet vorfanden, obwohl sie auf offener See keine Welle gesehen oder gespürt hatten. Die Pazifischen Anrainerstaaten haben daher schon vor über siebzig Jahren mit der Errichtung eines Frühwarnsystems' begonnen. In Japan existieren zusätzlich Schutzdeiche' und Wellenbrecher' an der Küstenlinie. Das Tohoku-Erdbeben im Jahr 2011 war dann leider gewaltiger als es der japanische Zivilschutz eingeplant hatte. In Deutschland sind vor allem die Kernschmelzen im Atomkraftwerk' Fukushima' als direkte Folge des Tsunamis in Erinnerung geblieben. Trotz ihrer Überlastung sind die Tsunami-Schutzmaßnahmen' in Japan aber nicht vergeblich gewesen: „Aufgrund (…) umfassender Tsunami-Warnsysteme und gut einstudierter Evakuierungspläne, blieben die Opferzahlen im Vergleich zu den durch den Tsunami verursachten Zerstörungen dennoch verhältnismäßig begrenzt."

Was ist also ein geeigneter gesellschaftlicher Umgang mit einer Tsunami-Gefahr? Vor dem Weihnachts-Erdbeben 2004 waren sich die Menschen am Indischen Ozean der Gefahr wohl nicht bewusst und das Ergebnis war verheerend. Mittlerweile gibt es auch für den Indischen Ozean ein Frühwarnsystem'. Es ist zu hoffen, dass alle bedrohten Staaten sich verantwortungsvoll auf die irgendwann zu erwartende Wiederkehr einer solchen Katastrophe vorbereiten. Langfristige Planungen sollten gesellschaftlich allgemein anerkannt sein und bleiben. Bei der Vorsorge ist Ausdauer gefragt, denn Tsunamis sind glücklicherweise ein seltenes Ereignis.

Über Tsunamis in Zeitlupe

Stellen Sie sich einmal vor, ein Tsunami-Ereignis hätte weder eine Vorwarnzeit von wenigen Sekunden noch eine von zwanzig Minuten, sondern es würde eine viel längere Zeit bis zur vollen Wucht des Ereignisses vergehen. Angenommen es wären nicht nur Tage oder Monate, sondern sogar Jahrzehnte und Generationen. Was würde sich ändern?

Die von einem Zeitlupen-Tsunami ausgehende Gefahr wäre natürlich prinzipiell unverändert, denn die drohende Zeitlupenwelle würde die Küste am Ende mit Sicherheit überschwemmen. Wie ginge unsere Gesellschaft mit dieser sehr langen Vorbereitungszeit um? Zum Glück müssten wir uns beim Erkennen der Gefahr weder in diesen schrecklichen „Rette sich wer kann"-Modus hineinstürzen noch die sofortige Ausführung eines Evakuierungsplans' aktivieren! Viele Menschen haben die bewundernswerte Charaktereigenschaft, in akuten Gefahren das eigene Leben auf Spiel zu setzen, um andere zu retten. Doch Heldinnen und Helden wären in einem Zeitlupen-Tsunami nicht mehr gefragt, sondern die Menschen müssten sich mit kühlem Verstand auf das kommende Unglück vorbereiten.

Es gäbe keine schrecklichen Bilder von zerstörten Küstenregionen, denn das Wasser käme ja ganz langsam. Die Menschen würden zwar schon seit langem feststellen, dass Ihre Schuhe' langsam nass werden, weil das Wasser steigt. Doch wir sind auf bewundernswerte Weise anpassungsfähig. Wir könnten uns also einfach wasserfeste Schuhe' kaufen und weiter ginge es wie bisher! Unsere Erinnerungen werden über Jahre und Jahrzehnte oft etwas ungenau und so wird sich wohl bald die Frage stellen, ob es denn nicht schon immer so war, dass die Schuhe' ein ganz kleines bisschen im Wasser stehen? Schließlich wird der durch den Zeitlupen-Tsunami langsam steigende Wasserpegel auch durch Ebbe und Flut überlagert. Könnte dann nicht eine gesellschaftliche Diskussion aufkommen, ob dieser Anstieg des Wasserspiegels überhaupt stattfindet oder ob man das Problem nicht erst in zehn Jahren angehen kann? Vor allem, wenn diese Bedrohung kein geschichtliches Vorbild hat, sondern zum allerersten Mal auftritt? Könnte dieser Zeitlupen-Tsunami nicht eine Erfindung von irgendwelchen finsteren Mächten sein, die sich diese Geschichte zur Steuerung der Menschen ausgedacht hätten? Wenn sich die Gefahr so sehr verzögert, dass sie den menschenüblichen Zeithorizont überschreitet, dann öffnet sich die Tür für Verschwörungstheorien und Realitätsleugner. Der Umgang mit einem sogar generationenübergreifenden Problem ist ein unbekannter Mechanismus für unsere Gesellschaft.

Positiv gedacht bietet ein Tsunami in Zeitlupe uns Menschen unglaublich viele Möglichkeiten im Umgang mit der Gefahr: Es macht überhaupt keinen Sinn, in Panik zu verfallen. Andere Aufgaben werden die Tage dominieren, denn  vor allem hätten die Menschen in einem Zeitlupen-Tsunami ihr ganzes Leben zu bestehen, mit allen bekannten Chancen und Risiken. Auch Ihr Leben besteht hoffentlich aus vielen tollen Entwicklungen und möglichst wenigen Situationen, in denen es kein Zuckerschlecken ist! Kinder werden geboren und wachsen heran. Partnerschaften kommen, hoffentlich dauerhaft und glücklich! Das Leben ist wirtschaftlich und beruflich immer herausfordernd und oft genug ungerecht dazu. Dann tritt der Zeitlupen-Tsunami berechtigterweise in den Hintergrund, trotz der Gefahr, die auf lange Sicht von ihm ausgeht. Wenn es dringendere Herausforderungen im Leben gibt, dann haben diese natürlich eine höhere Priorität. Wer kümmert sich schon um Aufgaben von übermorgen, wenn die Kräfte begrenzt sind und kaum für den heutigen Tag reichen!

Die Kunst besteht wohl darin, die täglichen Herausforderungen zu meistern und dabei die World-Life-Balance als Hintergrundbild nicht aus den Augen zu verlieren. Denn natürlich geht es hier um die Ähnlichkeiten eines Tsunamis in Zeitlupe mit dem Klimawandel: Da kommt ein Mechanismus auf uns zu, der in seiner Art und Dauer nicht zum menschlichen Erfahrungsschatz gehört. Ein Mechanismus, der sich ganz langsam, zuerst fast unbemerkt, aber mittlerweile immer deutlicher spürbar in unser Leben eingeschlichen hat. Ein Mechanismus, der seit Menschengedenken

zum allerersten Mal abläuft und der über Generationen wirksam bleiben wird. Weil der Mechanismus zum ersten Mal abläuft, können die Prognosen über die Folgen des Kli-

mawandels nur ungefähre Simulationen einer Welt mit einer immer weiter erhöhten Durchschnittstemperatur sein. Googeln Sie doch einfach mal nach „Wie sieht die Erde bei einer Erwärmung um (zwei, drei oder) vier Grad Celsius aus?"

Es könnte mehr oder weniger schlimm werden als in den Simulationen. Bevor Sie sich allerdings Gedanken über die Wahrscheinlichkeit der möglichen Auswirkungen machen, sollten wir erst noch den Mechanismus des Klimawandels besser verstehen, denn zwei scheinbar ähnliche Begriffe müssen hier klar unterschieden werden: Was sind die Unterschiede zwischen Wetter und Klima? Der Begriff „Klima" steht für die Mittelwerte der Wettererscheinungen über einen Zeitraum von dreißig Jahren. Können Sie einen Mittelwert über dreißig Jahre bilden? Mathematisch geht das recht einfach, aber emotional kann das wohl kaum ein Mensch erfassen. Falls Sie die öffentliche Berichterstattung über den Klimawandel als Maß für das aktuelle Ausmaß der Klimaschäden einbeziehen, dann seien Sie durchaus misstrauisch: Die Größe von Schlagzeilen zu einzelnen Dürren, Überflutungen oder Stürmen kann durchaus trügerisch sein, denn ein einzelnes, extremes Wetterereignis macht noch keinen Klimawandel! Die Größe der von Ihnen wahrgenommenen Schlagzeilen hat dagegen viel mit der Filterblase zu tun, in der Sie sich bewegen und vom gerade aktuellen journalistischen Marktwert des Themas Klimawandel.

Ein Anstieg der durchschnittlichen Temperatur um zwei, drei oder vier Grad mag sich gering anhören, denn wir sind deutlich höhere Temperaturunterschiede zwischen Tag und Nacht oder Sommer und Winter gewohnt und wir gehen problemlos damit um. Beispielsweise für einen Gletscher haben diese täglichen Temperaturschwankungen keine Auswirkung. Dafür ist der Temperaturverlauf im Inneren des Gletschers viel zu träge. Wenn sich aber die mittlere Temperatur auf Dauer erhöht, dann schmilzt der Gletscher möglicherweise über Jahre langsam komplett weg. In einem Fluss unterhalb des Gletschers – beispielsweise im Rhein, der aus Alpengletschern gespeist wird – existiert am Ende im Sommer kein kontinuierlicher Schmelzwasserzustrom mehr. Kommt dann noch eine Dürre hinzu, könnte ein solcher Fluss zeitweise austrocknen. Kommt es umgekehrt zu starken Niederschlägen, dann rauschen diese ungebremst von den Bergen ins Tal und das resultierende Hochwasser fällt verstärkt aus.

Falls sehr viele Gletscher schmelzen, beispielsweise auf Grönland oder der Antarktis, dann erhöht sich am Ende auch der Meeresspiegel. Müssen vielleicht irgendwann alle weltweiten Hafenanlagen' aufgegeben und im Binnenland neu errichtet werden? Am besten irgendwie mobil, weil das ein fortlaufender Prozess sein wird?

Bei einem Anstieg der mittleren Temperatur werden Kältewellen seltener, Hitzewellen dagegen häufiger. Wüsten werden sich ausbreiten und die landwirtschaftlich nutzbare Fläche verkleinern. Je wärmer die Luft ist, desto mehr Energie ist in ihr enthalten, so dass Stürme und Starkregenereignisse häufiger werden.

Schauen Sie also noch mal auf die Google-Ergebnisse für unterschiedliche Erderwärmungen! Bewerten Sie diese Simulationen ruhig mit Ihrem Bauchgefühl, also ob Ihnen die gegoogelten Auswirkungen einer solchen Erderwärmung logisch erscheinen!

Für einen objektiven Blick auf die Klimaveränderungen sind wir auf unsere Vernunft und unser Vertrauen auf die wissenschaftlichen Ergebnisse der Klimaforschung angewiesen. Daneben lohnt sich mit Sicherheit auch ein Blick auf die Berichte von Versicherungen', denn deren Geschäftsmodell beruht auf einer realistischen, unvoreingenommen Einschätzung der Schadensfälle, die sie zu begleichen haben.

Für eine realistische Einschätzung der künftigen Entwicklung lohnt sich in jedem Fall auch eine Rückschau, denn bei der Erderwärmung handelt es sich um langfristige Entwicklungen, die bereits in Ihrer Kindheit begonnen haben (Egal, wie alt Sie sind!) und die sich Ihr ganzes Leben lang weiter verstärken werden (Egal, wie jung Sie sind!) – es sei denn die Menschheit schafft es, das Verbrennen' fossiler Energiequellen' einzustellen. Falls Sie also mindestens zwei runde Geburtstage hinter sich haben, dann blicken Sie auch auf Ihre eigene Lebenserfahrung zurück: Wie hat sich das Klima in Ihrer Lebenszeit verändert?

Ich selbst bin ein Kind der Boomer-Generation. Während meiner Kindheit in den 1970er Jahren gab es in der norddeutschen Tiefebene in jedem Winter Schnee. Irgendwann als junger Erwachsener stellte ich fest, dass da Kinder eingeschult wurden, die noch nie Schlitten' gefahren sind. Gletscher, die in meiner Jugend noch existierten, sind verschwunden. Dürren und Starkniederschläge treten verstärkt auf. Die Erderwärmung ist nicht nur eine durch wissenschaftliche Messreihen bewiesene Tatsache. Der Klimawan-  del ist ein deutlich erkennbarer, sich zunehmend beschleunigender Teil meiner Lebenserfahrung. An das, was vor zehn Jahren noch besonders war, konnten wir uns in Deutschland noch weitgehend anpassen. In den nächsten zehn Jahren wird sich die Erderwärmung aber zweifellos weiter verstärken. Das, was ich bisher mit Klimawandel bezeichnet habe, ist zu einer Klimakrise geworden.

Wenn Sie nun Ihre zurückliegenden Erfahrungen bewertet haben, dann verlängern Sie diese Veränderungen bitte in die Zukunft hinein! Die Erderwärmung ist ein fortlaufender Prozess, der sich mindestens so lange weiter verstärken wird, wie die Menschheit fossile Energieträger' verbrennt.

Stellen Sie sich bitte erneut – wenigstens in Gedanken – auf den Anstoßpunkt' Ihrer World-Life-Arena' und beachten Sie, dass keine zweite zur Verfügung steht! Denn während ein echter Tsunami nur die Küstenlinien bedroht, hat die Klimakrise Auswirkungen auf Ihre gesamte Arena': Auf Ihre drei Meeres-Sportplätze', auf schmelzende Eisregionen und wachsende Wüsten und auf alles, was es an fruchtbarer Fläche um Ihren Anstoßpunkt' herum gibt.

 In dieser Halbzeit haben wir echte Tsunamis mit der Klimakrise verglichen. Der Vergleich endet mit einer guten und einer schlechten Nachricht:

 Zuerst die gute Nachricht: Tsunamis werden durch Erdbeben ausgelöst und die Wissenschaft hat keinerlei Ideen zur Verhinderung dieser Bewegungen im Erdinnern. Das ist bei der Klimakrise glücklicherweise anders! Denn die Klimakrise ist menschengemacht

– wir sind selbst die Auslöser des Problems. Während bei Tsunamis lediglich Schutzmaßnahmen' gegen die Auswirkungen einer „Hafenwelle" getroffen werden können, haben wir es bei der Klimakrise selbst in der Hand. Wir können das Übel bei der Wurzel packen und die Klimakrise zwar nicht mehr komplett verhindern, aber doch zum Stillstand bringen!

Und nun die schlechte Nachricht: Wir müssen es auch tun und alles daransetzen, das Verbrennen' fossiler Energien' zu stoppen! Denn im Gegensatz zu einem Tsunami, der schrecklich kommt, aber nur Minuten anhält, wird sich die Erderwärmung so lange immer weiter verstärken, bis wir mit dem Verbrennen' von Öl', Erdgas' und Kohle' aufgehört haben. Sie nehmen schon Ihr ganzes Leben lang an diesem Zeitlupen-Tsunami teil. Leider wird die Klimakrise Ihr Leben überdauern, denn auch Ihre Kinder, Enkel und Urenkel werden ihr ganzes Leben lang von ihr betroffen sein. Je mehr Öl', Gas' und Kohle' wir verbrennen, desto mehr leben wir auf Kosten der nachfolgenden Generationen. Nach uns wird es noch viele weitere Generationen geben. Aber wenn wir so weiter machen wie bisher, dann werden wir die letzte Generation sein, die die Klimakrise als Bedrohung noch halbwegs ignorieren konnte. Die Auswirkungen der Klimakrise werden deutlicher. Den Kopf immer tiefer in den Sand zu stecken, wird immer schwieriger. Wir sind am Ende der Komfortzone angekommen.

Ein fast vergessener Spruch aus ersten Generation nach dem zweiten Weltkrieg' lautet: „Meine Kinder sollen es einmal besser haben als ich." Der Satz fasste die schwierige Ausgangslage des Jahres 1945 und den hart erarbeiteten Wohlstand' der frühen Bundesrepublik zusammen. Beeindruckend finde ich diesen Satz wegen seiner klaren, langfristigen Zielrichtung.

Wenn etwas bewahrt werden soll, dann konservieren wir es. Konservative bewahren also das Vorhandene. Um die Ressourcen' der Erde vor weiterer Überlastung zu bewahren, müssen wir konservativ handeln. Für dieses Ziel sollte es eigentlich eine große Schnittmenge gemeinsamer Interessen von progressiven und konservativen Menschen geben. In den zwanziger Jahren des einundzwanzigsten Jahrhunderts und im Angesicht der Klimakrise erscheint mir eine leicht angepasste, klare, konservative, langfristige Zielaussage angebracht:

„Meine Kinder sollen es einmal nicht schlechter haben als ich."

Auf dem Anstoßpunkt'

Für die nächste Halbzeit liegt der Ball' liegt schon auf dem Punkt, daher nur eine kurze Zusammenfassung:

→ Die Klimakrise läuft wie ein Tsunami in Zeitlupe ab. Sie hat sich während Ihres gesamten Lebens kontinuierlich beschleunigt. Auch Ihre Kinder und Enkel werden ihr ganzes Leben lang von der Klimakrise betroffen sein.

→ Das Ziel lautet: Wir müssen aufhören, Öl', Erdgas' und Kohle' zu verbrennen.

Um dieses Ziel zu erreichen, braucht es ein vertieftes Verständnis unseres Gegners, den fossilen Brennstoffen'. Spielen Sie dazu gerne in der nächsten Halbzeit weiter!

Junkies

Euroscheine' zeigen Bauwerke aus verschiedenen europäischen Epochen. Auf den Rückseiten sind Brückenbauwerke' dargestellt. Nehmen Sie bitte einen fünf Euro Schein' in die Hand und schauen Sie sich das römische Aquädukt auf der Rückseite an! Es ähnelt der Pont du Gard in Südfrankreich, doch wurde die reale Vorlage vom österreichischen Designer Robert Kalina künstlerisch bearbeitet. Aquädukte sind ein häufiges Kennzeichen antiker Architektur in vielen europäischen Staaten. Durch die Verfremdung der Pont du Gard sollte nicht nur ein französisches Nationalsymbol gezeigt werden, denn Aquädukte waren eine wichtige Errungenschaft im gesamten römischen Reich für die Versorgung mit frischem Wasser. Quellen mit Frischwasser wurden von umliegenden Bergen in die Städte umgeleitet. Dazu entstanden Gräben entlang der Höhenlinien der Berge, es wurden Kanäle durch Felsen getrieben und falls ein Tal zu überwinden war, zwangen die Römer ihre Sklaven zum Bau von Aquädukten, also von Brücken, die das Wasser über Täler leiteten.

Die Umleitung von Wasser mittels langer Gräben mit geringem Gefälle war in vergangenen Zeiten eine wiederkehrende Vorgehensweise: Seien es die römischen Aquädukte, seien es der Soleleitungsweg im deutsch-österreichischen Grenzgebiet bei Berchtsgaden, die Wasserversorgung von Wassermühlen oder die Königsklasse der vorindustriellen Wasserwirtschaft in Deutschland: Das Weltkulturerbe  „Oberharzer Wasserregal". Dort wurden Bäche über ein Gebiet in der Größe des Main-Taunus-Kreises umgeleitet, um mit der gewonnen Wasserkraft den damals sehr ertragreichen Bergbau im Harz zu betreiben: Zwischen dem sechzehnten und neunzehnten Jahrhundert wurden die Bergwerke immer tiefer und drohten, durch einsickerndes Grundwasser unbrauchbar zu werden. So brauchten die Menschen das Wasser der Bäche, um das eindringende Grundwasser aus den Bergwerken wieder heraus pumpen zu können. Da der Einstieg ins Bergwerk oft oben auf dem Berg lag – es handelt sich schließlich um das „Ober"harzer Wasserregal – war es manchmal einfacher, das eingesickerte Grubenwasser nur auf die halbe Höhe zu pumpen. Von dort aus trieben die Bergleute dann einen sogenannten Wasserlösungsstollen waagerecht durch den Berg. Dann konnte das Wasser weit entfernt vom Bergwerk an der Seite des Berges herauslaufen. Was für eine Arbeit im massiven Fels, anfangs nur mit Handwerkzeugen, später dann immerhin mit Unterstützung von Schwarzpulver! Noch heute bietet der Oberharz ein ausgedehntes flaches Wanderwegenetz entlang der Gräben und Teiche des Oberharzer Wasserregals. Ein Wandertag lässt sich gut mit einem Besuch des Bergwerkmuseums' Rammelsberg und der Altstadt von Goslar' kombinieren, um diese serielle Welterbestätte im Zusammenhang zu erleben.

Angefangen von den römischen Aquädukten bis zum Oberharzer Wasserregal gab es immer nur einen einzigen Grund zur Errichtung dieser Bauwerke: Energiemangel. Selbst die Römer kannten zwar schon Pumpen zum Fördern von Wasser, aber es war ausgesprochen schwierig, diese Pumpen mit Energie zu versorgen. Im Oberharz erreichten die installierten Wasserräder nach fast vier Jahrhunderten Bauzeit eine Gesamtleistung von 2,2 Megawatt. Im Vergleich mit unserem heutigen Energiehunger ist das ein geradezu lächerlich geringer Wert: Eine einzige moderne Lok' vor einem Regionalexpress' käme mit so wenig Antriebsleistung nicht aus! Mit dem Beginn der Industrialisierung', der Erfindung der Dampfmaschine', dem Ausbeuten von Kohle', Öl' und Erdgas' stand der Menschheit mit einem Mal eine vorher unerreichbare Menge an Energie zur Verfügung. Energie, die unser Leben verändert hat, es in allem durchdringt und die Quelle unseres Wohlstandes' ist. Da war das Oberharzer Wasseregal auf einmal nicht mehr erforderlich und es braucht heute schon eine ausführliche Erklärung wie diese hier, um zu begreifen, warum die Menschen damals so große Anstrengungen für die Umleitung von Bächen auf sich nahmen.

Das Fördern von Wasser ist schon seit langem nur noch ein untergeordneter Anteil unseres riesigen Energiehungers'. Die immer weiter ausgebaute Nutzung fossiler Brennstoffe' seit dem Beginn der industriellen Revolution war ein allmählicher Prozess. Die in immer größerem Umfang verfügbare Energie bewirkte wahre Wunder. Energie, die unseren Wohlstand' ermöglichte und uns so sehr durchdringt, dass uns unser Energiehunger' kaum noch präsent ist.

Betrachten wir einmal den Verkehrsbereich und unsere wachsende Mobilität: Meine Ur-Großeltern waren Bauern. Sie konnten ihre Tiere nur so weit verkaufen, wie diese laufen konnten. Erst als seit den 1920er-Jahren die Eisenbahn' durch das Dorf' meiner  Kindheit fuhr, konnten sie die Tiere zu den Märkten' in den Städten' transportieren. Trotzdem nutzten auch meine Großeltern die neu gewonnene Mobilität noch nicht besonders aus. Meine Großmutter wurde 1895 geboren. In einem Brief aus dem Jahr 1968 schrieb sie von sich selbst, dass sie nie reiselustig war. Dass ihr einziger Urlaub' aber nur ins fünfunddreißig Kilometer entfernte Intschede' führte, finde ich einfach unglaublich! So ist ihr Brief für mich ein Ausdruck der Tatsache, dass die Menschen noch vor wenigen Jahrzehnten deutlich kleinere Radien gezogen haben als wir

> Besonders für Tante, die ja immer noch sehr reiselustig ist. Ich selbst bin am liebsten zu Hause hinterm warmen Ofen. Einmal im Leben machte ich eine Freiheit mit. Es war in Winkel bei Inschede.

heute. Selbst bei der reiselustigen Tante ist mir keine Strecke über mehr als zweihundertfünfzig Kilometern Entfernung bekannt. Meine Eltern erreichten immerhin die tausend Kilometer Distanz. Ich dagegen fahre täglich eine Strecke zur Arbeit, die der längsten Urlaubsreise' meiner Großmutter entspricht. Die Dumpingpreise bei Flugreisen' ermöglichen etwa seit der Jahrtausendwende den Ferntourismus' für breite Bevölkerungsgruppen. Wie es wohl weiter gehen mag? Beispielsweise erreichten bis Ende 2025 einhundertsechs Touristen' den Weltraum. Eine Handvoll Firmen' arbeitet an der Ausweitung des Weltraumtourismus'. Erst als Autos' und Flugzeuge' zum Massenphänomen mutierten, wurden sie zu einer Belastung der World-Life-Balance. Die Grundlage für ein Massenphänomen wird viel früher geschaffen, nämlich durch die Entwicklung und Optimierung der Technik. Eine zentrale Voraussetzung für die Entstehung der Massenphänomene im Transportwesen' war dabei immer die Verfügbarkeit günstiger Energie, zunächst die Kohle' für Dampfloks', dann Benzin' für Autos', Kerosin' für Flugzeuge' und hoffentlich nicht auch noch für Weltraumtouristen'.

Unser Energiehunger' drückt sich aber nicht nur in unseren Bewegungsradien aus: Unsere Wohnfläche' ist größer geworden. Die Häuser' sind im Winter genau so warm wie im Sommer. Die erste automatische Waschmaschine' kam in Deutschland 1951 auf den Markt. Geschirrspüler' und Wäschetrockner' folgten zwei oder drei Jahrzehnte später. Heute sind unsere Haushalte mit einer Vielzahl kleiner und großer elektronischer Helferlein ausgestattet, die uns mit oder ohne Internetverbindung' das Leben vereinfachen. Aber selbst der Energieverbrauch' vieler Geräte während ihrer Lebenszeit ist noch nicht der Hauptanteil unseres Energiehungers. Der liegt in der Herstellung der Produkte'.

///////////////

Autohäuser', Neuwagen', Autoreifen', Ankunftshalle', Flughafen', Fernreisen', UN-Klimakonferenz', Paris', Buch', Kaffee', Apollo 8', Landwirtschaft', Infrastruktur': Haben Sie herausgefunden, welche Regel hinter den absichtlichen Rechtschreibfehlern steckt, also in welchem Fall die Worte in diesem Buch' mit einem Apostroph (') enden?

Alle Substantive in diesem Buch', die einen CO_2-Fußabdruck hinterlassen, sind durch das zusätzliche Zeichen ' gekennzeichnet. Das ' Zeichen zeigt, dass hinter jedem dieser Produkte' ein energieintensiver Herstellprozess' steckt. Energie, die in Deutschland aktuell zu drei Vierteln aus fossilen Brennstoffen' stammt. Jedes ' steht für einige CO_2-Moleküle, die in ihre World-Life-Atmosphäre aufsteigen und dort den CO_2-Anteil dauerhaft vergrößern.

Diese Regel trifft auf Autohäuser' zu, denn die müssen gebaut werden, was Beton', Zement', Heizung' und Elektroinstallationen' erfordert. Genauso wie es bei allen Dörfern' und Städten' der Fall ist. Ebenso dieses Buch', das gedruckt und transportiert wurde. Der Kaffee' in Ihrer Kaffeetasse' wurde gedüngt, gepflückt, geröstet, abgefüllt, transportiert und vermutlich in einem Supermarkt' zum Verkauf angeboten. Vor dem Trinken wurde der Kaffee' gebrüht und wenn sie ihn ausgetrunken haben, muss die Tasse' gereinigt werden. Auf Schritt und Tritt verursachen wir zusätzliches CO_2, das wir an die Atmosphäre abgeben.

 Mit einem einfachen Produkt wie einem Glas' Erdbeermarmelade' schauen wir uns das einmal genauer an: Die Marmelade' des QR-Codes ist vegan, wird in Deutschland hergestellt und vertrieben, hat also keine weiten Transportwege' hinter sich. Folglich handelt es sich um ein aus ökologischer Sicht nahezu optimales Produkt. Der CO_2-Fußabdruck von diesem Glas' Erdbeermarmelade' ist trotzdem etwa so hoch wie der Stromverbrauch zum Waschen' einer Wäscheladung' in der heimischen Waschmaschine'. Über ein Drittel dieses Marmeladen'-CO_2-Fußabdrucks wird über die Verpackung' generiert: Also das Glas', das zur Herstellung' auf 1500°C erhitzt wurde. Der mit Plastik' beschichtete Metalldeckel' hat über den Metallanteil' lange Lieferketten' hinter sich, die vom Eisenerz-Bergbau' über die Verhüttung' und Walzwerke' reichen. Die Plastikbeschichtung' und auch die Bedruckung' beruhen initial auf der Erdölförderung' mit sehr vielen Folgeschritten im Bereich der chemischen Industrie'. In der Rangliste des CO_2-Fußabdrucks stehen hinter der Verpackung' erst an zweiter Stelle die enthaltenen Lebensmittel' wie Erdbeeren' und Zucker', dicht gefolgt von den Aufwendungen für den Transport' und dem Einkochprozess' in der Marmeladenfab-

rik'. Bei einem anderen Produkt wie beispielsweise Rinderrouladen' wären die Lebensmittel mit Sicherheit an erster Stelle gewesen. Der von Ihnen selbst wahrgenommene Anteil des CO_2-Fußabdrucks ist gemessen am Gesamtaufwand verschwindend gering: Die Präsentation im Supermarkt' und Ihr Umgang im Haus' machen nicht einmal zwei Prozent des gesamten CO_2-Fußabdrucks dieses Glases' Erdbeermarmelade' aus. Der eigentliche Aufwand in der Produktion' des Glases' Marmelade' ist uns kaum präsent. Wir legen ein paar Euros' auf die Ladentheke' und müssen uns mit dem Berg an Produktionsschritten' dahinter nicht weiter beschäftigen. Jeder einzelne dieser Schritte hat seinen eigenen CO_2-Fußabdruck und das macht die Gesamtbetrachtung so komplex. Das Verbrennen' fossiler Energieträger' ist immer noch die genetische Basis der Industrialisierung' und unseres Wohlstands'. Für die World-Life-Balance wird es mit Sicherheit nicht ausreichen, nur persönliche Konsumentscheidungen verantwortungsvoll zu treffen. Es geht um strukturelle Änderungen in der Energieversorgung und -verteilung, in der Industrie' und um die Zustimmung zu diesen Änderungen durch die Bewohnerinnen und Bewohner auf ihren World-Life-Arenen'. Denn erst wenn die Energiewende eines Tages umgesetzt sein wird, wird aus einem gedruckten und verkauften Buch' wieder ein gewöhnliches Buch, ohne Apostroph.

Ein Weltbild im Klimawandel

In diesem Buch' geht es um eine Diagnose des Patienten Erde mit dem Ziel, ein verständliches, realistisches Weltbild zu zeichnen. Die jüngsten Erkenntnisse dienen nun der Vervollständigung des Bildes der World-Life-Arena'. Durch die Zunahme des CO₂-Gehalts der Atmosphäre muss die bisher statische Darstellung um die Dynamik der Entwicklung erweitert werden. So fehlten bisher die als ' dargestellten CO₂-Moleküle, die den Treibhausgas-Ausstoß unserer Gesellschaft repräsentieren. 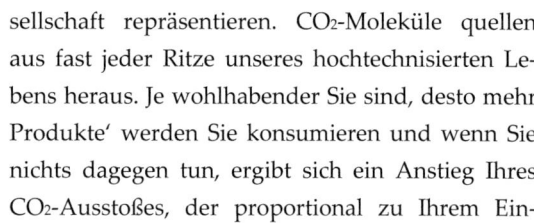 CO₂-Moleküle quellen aus fast jeder Ritze unseres hochtechnisierten Lebens heraus. Je wohlhabender Sie sind, desto mehr Produkte' werden Sie konsumieren und wenn Sie nichts dagegen tun, ergibt sich ein Anstieg Ihres CO₂-Ausstoßes, der proportional zu Ihrem Einkommen' ist. In Ihrer World-Life-Atmosphäre wächst dadurch die Dicke der CO₂-Schicht von Jahr zu Jahr. Genau wie im Text werden die CO₂-Moleküle auch im Weltbild durch Apostroph (') gekennzeichnet – und es sind viele '''! Ein kleiner Anteil der CO₂-Moleküle wird zwar allmählich vom Meer aufgenommen. Die Mehrheit der von uns Menschen erzeugten vielen '''''''' aber wird den Kohlendioxid-Gehalt der Atmosphäre über Jahre und Jahrzehnte kontinuierlich erhöhen: Die Ursache für die Klimaerwärmung. '''''''' die spätestens unsere Kinder in ernste Gefahren bringen werden, wenn die Menschheit bis dahin keine Energiewende schafft. Außerdem ist zu beachten, dass durch das Wachstum der Weltbevölkerung' auch die Größe Ihrer World-Life-Arena' langsam abnimmt. Immer mehr Menschen müssen sich die gleichen begrenzten Ressourcen' teilen. Für Ihre Arena' aus vier Sportplätzen' hat das aktuell zur Folge, dass Sie jährlich von allen vier Plätzen je einen fünf-Meter-Raum an Neugeborene abzugeben haben.

Das Weltbild der World-Life-Balance ist mehr als eine Momentaufnahme. Es bietet sich für einen langfristigen Konsens über die menschengemachte Belastung der Erde an.

Ein Weltbild im Klimawandel

CO_2 quillt aus fast jeder Ritze unseres Lebens

CO_2 - Anteil:

...
2045: 4,90 m ???
...
2035: 4,55 m ??
...
2027: 4,32 m ?
2026: 4,29 m
2025: 4,25 m
2024: 4,22 m
2023: 4,19 m

2015: 4,00 m

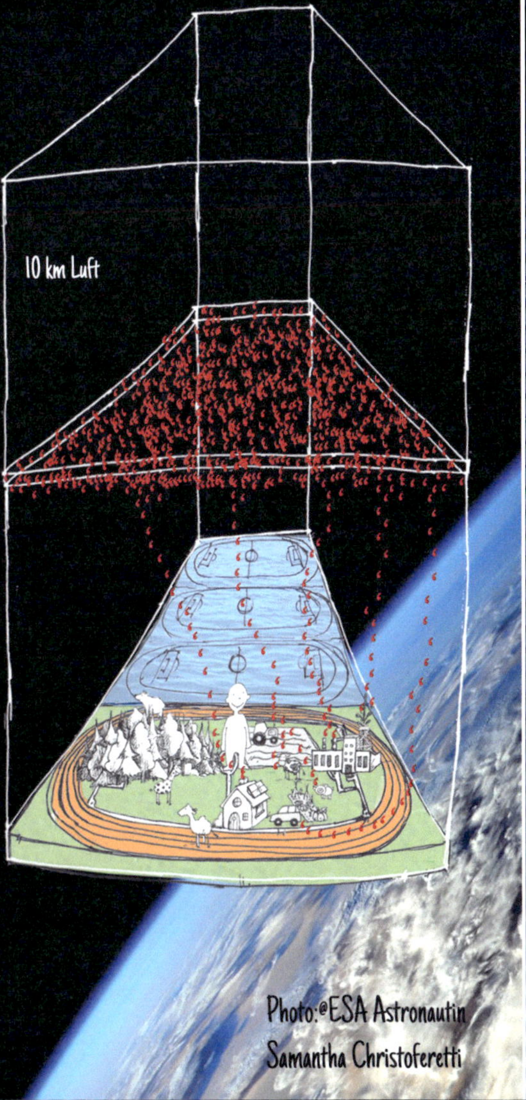

10 km Luft

Photo: @ESA Astronautin
Samantha Christoferetti

Es hatte zu Beginn des neuen Jahrtausends schon die gleiche Gültigkeit wie heute. Nur die Zahlenwerte hätten leicht korrigiert werden müssen. So wird dieses Weltbild voraussichtlich auch in zehn, zwanzig oder mehr Jahren gültig bleiben.

Auf Ihrer World-Life-Arena' hängen günstige Lebensumstände von vielen Bedingungen ab. Sie können diesen Lebensraum überblicken und seine prinzipielle Verletzlichkeit erkennen. Es ist wenig überraschend, dass die Kette' der günstigen Lebensbedingungen an ihrem schwächsten Element zerbricht. Weil wir in einem Zeitlupen-Tsunami leben, beobachten wir das Abreißen der Kette' als jahrzehntelangen Prozess.

Rätselhafte Energie

Wir haben es nun bildlich vor Augen, wie unser Leben im Wohlstand' erst durch das Verbrennen' fossiler Energieträger' ermöglicht wird und dass wir genau dadurch unsere Atmosphäre allmählich in gefährlicher Weise verändern. Es ist daher angebracht, sich Gedanken über die Mengen unseres Energieverbrauchs' zu machen. Wir haben Plastiktrinkhalme' gegen solche aus Pappe' getauscht, Glühbirnen' gegen LED' und Einweggeschirr' gegen Mehrweg – aber was sind eigentlich die Gamechanger in unserem täglichen Energiecocktail'?

Schon in der zweiten Halbzeit über CO_2 haben wir festgestellt, dass wir von einem Stoff bedroht werden, den wir eigentlich gar nicht kennen. CO_2 wird erzeugt, wenn wir Energie verbrauchen, die aus fossilen Quellen stammt. Wissen wir denn wenigstens, was es mit diesem zentralen Begriff „Energie" auf sich hat?

Wenn Sie beispielsweise einen flachen Hügel mit dem Fahrrad' hinauffahren – kein E-Bike' – dann spüren Sie den Energiebedarf' ganz unmittelbar in den Beinen. Sie können gut einschätzen, was es bedeutet, wenn der Hügel steiler wird oder endlich der Gipfel erreicht ist. Fahren Sie den gleichen Hügel jedoch mit dem Auto' hoch, so werden Sie sich anschließend an die hinter Ihnen liegende Steigung kaum zurückerinnern, außer vielleicht wegen der hübschen Aussicht, die es oben zu bestaunen gibt. Dabei ist Ihr Energiebedarf' mit dem Auto' um ein Vielfaches höher als bei der Radtour. Der Grund dafür ist nicht nur, dass das Auto' viel schwergängiger rollt als ein Fahrrad'. Es liegt auch daran, dass Sie mit dem Fahrrad' nur sich selbst und das Zweirad' in die Höhe gehoben haben, während bei der Autofahrt' auch das Fahrzeug' mit ein bis drei Tonnen zusätzlichem Gewicht auf den Hügel gehoben wurde. Der Unterschied für unser gänzlich anderes Empfinden liegt an der Energiequelle, denn dass ein Motor' für uns gearbeitet hat, fällt nicht mehr in unseren Erfahrungsbereich. Einzig die Rechnung für die verbrauchte Energie zeigt uns an der Tankstelle', dass da im Hintergrund eine Menge passiert sein muss. Sobald wir die Kraft nicht mehr mit den eigenen Armen und Beinen erzeugen müssen, dann haben wir nur noch eine sehr ungefähre Vorstellung über die Energiemengen, die Maschinen' für uns verbraucht haben.

Dazu schauen wir uns einige Beispiele aus dem Lebensalltag an, die in der folgenden Liste zunächst alphabetisch sortiert sind. Ich möchte Sie bitten, die Situationen nach ihrem Energiebedarf' zu sortieren! Dabei reicht es häufig nicht, einfach nur die Situation zu beschreiben, denn um Ihnen eine Einschätzung des Energiebedarfs' zu ermöglichen, braucht es häufig zusätzliche Detailangaben über die technische Umsetzung der Situation. Nehmen wir beispielsweise die dritte Situation aus der Liste, den Energiebedarf' für die tägliche Beleuchtung' der Wohnung'. Hier hängt es stark von der Art Ihrer Beleuchtung' ab. Falls Sie noch alte Glühbirnen' verwenden, so wäre der Energiebedarf' fast um den Faktor zehn höher als der von LED-Lampen'. Das Beispiel zeigt, dass die Bewertung des Energiebedarfs' eine recht komplizierte Angelegenheit werden kann. Das Ziel dieser Liste und der folgenden kleinen Analyse besteht darin, bei Ihnen ein gewisses Verständnis über unseren Energiehunger' und die dafür benötigten Energiemengen zu wecken. Bitte sortieren Sie diese sieben Vorgänge nach Ihrem Energiebedarf':

1. Die tägliche Beleuchtung' der Wohnung': Dazu sind sieben LED-Lampen' eingeschaltet, die mittlerweile als gleichwertiger Ersatz gegen die veralteten 60W-Glühbirnen' ausgetauscht wurden. Die Lampen' sind je vier Stunden eingeschaltet.

2. Mit dem Benziner' Brötchen' vom Bäcker holen: Der Bäcker ist zweieinhalb Kilometer entfernt. Ihr Auto' hat einen durchschnittlichen Benzinverbrauch'.

3. Die morgendliche Dusche'. Die Durchflussmenge des Duschkopfs' ist nicht reduziert. Sie sind zwar ein Warmduscher, drehen den Wasserhahn' dafür schon nach drei Minuten wieder zu.

4. Mit dem e-Auto' Brötchen' vom Bäcker holen. Es ist der gleiche Bäcker. Ihr e-Auto' hat einen durchschnittlichen Stromverbrauch'.

5. Mit dem Fahrrad' Brötchen' vom Bäcker holen. Auf den insgesamt fünf Kilometer fahren Sie ein Bio-Bike' mit

einer gemütlichen Geschwindigkeit von fünfzehn Stundenkilometern.

6. Das Wohnzimmer' einen Tag heizen, Energieeffizienzklasse A. Ihr Wohnzimmer' ist zwanzig Quadratmeter groß. Der Energiebedarf' des Wohnzimmers' entspricht einem recht modernen KFW55-Haus' an einem durchschnittlichen Tag im Jahresverlauf.

7. Das Wohnzimmer' einen Tag heizen, Energieeffizienzklasse G. Es ist also alles so wie davor, nur dass es sich um ein teilweise saniertes Bestandsgebäude' handelt.

Haben Sie eine Idee zur Lösung der Aufgabe? Bei dieser weiten Themenbreite ist die Fragestellung sicher ungewöhnlich und nicht einfach zu beantworten, daher dürfen Sie sich auch gerne schon gleich die Lösung ansehen.

Die Sortierung nach dem Energiebedarf' dieser sieben alltäglichen Vorgänge zeigt Ihnen die folgende Grafik: Das schlecht isolierte Wohnzimmer' hat bei weitem den höchsten Energiebedarf' mit etwa zwölf Kilowattstunden, was etwas mehr als der Energiemenge entspricht, die in einem Liter Öl' oder einem Kubikmeter Erdgas' gespeichert ist. An zweiter Stelle liegt die Autofahrt' mit dem Benziner'. Hier ist zu beachten, dass es sich lediglich um eine fünf Kilometer weite Fahrt handelt. Bei einer weiteren Strecke stellt ein Verbrenner' schnell den Energiehunger für das Heizen einer schlecht isolierten Wohnung' in den Schatten. Auffällig ist, dass die vier energieintensivsten Vorgänge alle mit Erwärmung zu tun haben, denn auch ein benzinbetriebenes Auto' ist aus energetischer Sicht in erster Linie eine Heizung'. Der Wirkungsgrad von Benzinern' liegt im üblichen Fahrprofil bei nur zwanzig Prozent. Die übrigen achtzig Prozent gehen als Abwärme' ungenutzt verloren, so dass der Fahrbetrieb des Benziners' eigentlich nur ein Nebeneffekt der Heizung' ist.

Das e-Auto' ist gegenüber dem Verbrenner' um ein Vielfaches effektiver. Um diesen für das Klima sehr positiven Effekt zu erhalten, muss allerdings auch die Stromerzeugung' möglichst CO_2-neutral erfolgen. Den niedrigsten Energiebedarf' haben die Beleuchtung' und zuletzt die Fahrradtour' zum Bäcker. Die Radtour' ist der einzige Vorgang

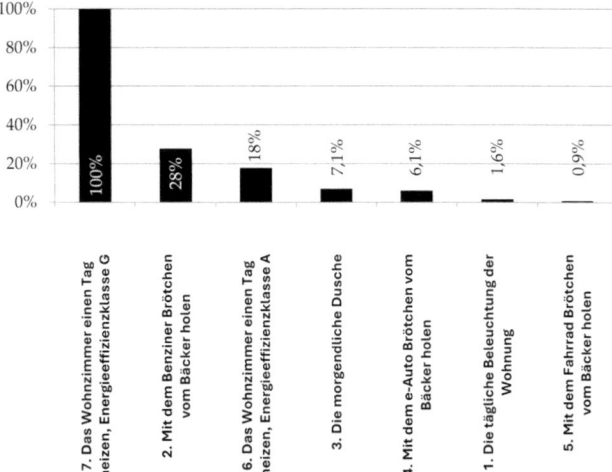

im Vergleich, der mit Muskelkraft zu erledigen ist, und er hat den geringsten Energiebedarf': Alles wirklich Anstrengende haben wir Menschen eben auf Maschinen' und Geräte' abgewälzt und nehmen es meist unbewusst in Kauf, dass diese Maschinen' und Geräte' häufig sehr viel mehr Energie für die gleiche Aufgabe benötigen, siehe den Vergleich zwischen Autofahrt' und Radtour zum Bäcker.

Die Verfügbarkeit von Energie für unsere Technik ist die Basis unseres Wohlstandes'. Dumm ist nur, dass wir den Großteil dieses Energiebedarfs' immer noch aus fossilen Energiequellen' decken, die unsere World-Life-Balance immer mehr aus dem Gleichgewicht bringen. Fossile Energiequellen', die sich in verbrannter Form als CO₂ in unserer World-Life-Atmosphäre ansammeln und damit unseren Wohlstand' und für einige Menschen sogar schon das Leben bedrohen.

Die oben genannten Beispiele enthalten aber bereits einige wichtige Wegweiser für eine hoffentlich erfolgreiche Energiewende: Technologie ist ein zentraler Schlüssel! Alte Technologien, die auf dem Verbrennen' fossiler Rohstoffe' beruhen, müssen durch neue ersetzt werden. Effiziente Technologien müssen alte, verschwenderische ablösen. Das war beim Wechsel von Glühlampen' auf LED' der Fall. Wenn Strom verlässlich über erneuerbare Technologien erzeugt wird, dann müssen die fossilen Kraftwerke' abgeschaltet werden. Die erforderlichen Technologiewechsel zeigen auch die obigen Beispiele über energieeffiziente Bauweisen und die notwendige Abkehr vom Verbrenner-PKW' hin zum e-Auto'. In allen Fällen steht am Ende des Technologiewechsels eine mindestens gleich komfortable Lösung bei deutlich reduziertem Energiebedarf'. Dass es bei der

Einführung neuer Technologien zu Diskussionen kommt, ist dabei ein Teil des technischen Fortschritts. Meinungen sind hier erlaubt und erwünscht. Wichtig ist aber, dass diese Meinungen auf einem realistischen Weltbild basieren und da bietet die World-Life-Balance einen neuen, anschaulichen Ansatz.

Zum Abschluss dieser kleinen Rätselaufgabe können Sie mit den gewonnenen Erkenntnissen vielleicht ein Bauchgefühl für den Energiebedarf' von Alltagsvorgängen entwickeln: Den höchsten Energiebedarf' gibt es im Allgemeinen beim Heizen' oder Abkühlen', im Beispiel also die gut oder schlecht gedämmten Wohnungen', die warme

Dusche' und der Verbrenner-PKW', der die Brücke zur nächsten Kategorie bildet: Einen mittleren Energiebedarf' finden wir bei Bewegungsvorgängen, wie es das Beispiel e-Auto' zeigt. Allerdings vergrößert sich bei Transporten mit der Distanz natürlich auch der Energiebedarf'. Die Beleuchtung', die uns Menschen verständlicherweise besonders deutlich vor Auge steht, hat dagegen einen eher geringen Energiebedarf'. Für alle diese drei Kategorien „viel Energie = Heizung", „mittlere Energie = Bewegung" und „wenig Energie = Beleuchtung" gilt allerdings, dass sie alle jenseits der menschlichen Muskelkraft liegen, unsere persönlichen Fähigkeiten also überragen.

Die Abhängigen

Was hat diese Halbzeit mit der Klimakrise zu tun? Die Klimakrise ist menschengemacht, denn sie wird in erster Linie durch das Verbrennen' fossiler Energieträger' durch uns Menschen hervorgerufen. Es zeigt sich, dass unser über Jahrzehnte gewachsener Wohlstand' auf der Nutzung dieser fossilen Energien' basiert. Diese Verflechtung ist elementar für unser Leben, ist integriert in unendlich feingliedrigen

Produktionsketten' und nicht mehr weg zu denken: Wir sind Energiejunkies, abhängig von einer unterbrechungsfreien Energieversorgung' und meistens schnell bereit, noch mehr fremde Energie für uns arbeiten zu lassen, auch weil uns die Menge dieser nicht körpereigenen Energien kaum bewusst wird. Es ist wichtig zu verstehen, dass diese Abhängigkeit von nicht körpereigener Energie besteht und auch bestehen bleiben wird. Aktuell beziehen wir diese zusätzliche Energie zu etwa fünfundsiebzig Prozent aus fossilen Energieträgern'. Eine Abkehr von Öl', Gas' und Kohle' rüttelt daher unsere Gesellschaft in ihren Grundfesten durch. Wir sind alle abhängig von einer stabilen Energieversorgung'. Mit der Energiewende stellen wir unsere Gesellschaft auf ein anderes Fundament. Unsere Abhängigkeit von einer verlässlichen Energieversorgung' wird auch nach einer Wende hin zu erneuerbaren Energiequellen bestehen bleiben. Die Energiewende muss sich daher durch Verlässlichkeit auszeichnen.

Der Blick auf Ihre World-Life-Arena' sollte deutlich machen, dass die verfügbaren Energieressourcen' der Erde endlich sind. Neben der Verlässlichkeit der Energiewende muss daher auch der sparsame Umgang mit Energie in den gesellschaftlichen Fokus rücken. Neben einer effektiven Nutzung der Energie müssen auch technische Weiterentwicklungen in Hinblick auf ihren Energiebedarf' bewertet werden. Mit dem Thema Weltraumtourismus' habe ich absichtlich ein etwas exotisches Beispiel gewählt, aber andere Entwicklungen haben uns bereits überrollt: Beispielsweise das Bitcoin'-Mining, dass Energie in Geld konvertiert. Weil Geld bekanntlich nicht essbar ist, handelt es sich damit um das wohl sinnloseste Produkt' der Welt. Oder künstliche Intelligenz wie ChatGPT': Die neuen Möglichkeiten durch KI' sind absolut beeindruckend, aber zur Energieversorgung der dafür erforderlichen Serverfarmen' wird sogar der Bau neuer Kernkraftwerke' geplant! Die IT' ist auf dem Weg zum größten Energiefresser' der Erde.

Eine Anfangsfrage beim Blick auf Ihre World-Life-Arena' mag vielleicht gewesen sein, wo denn die erforderlichen

Lebensmittel auf diesem Sportplatz' angebaut werden könnten? Lebensmittel, die uns Kraft zum Leben geben. Nun ist unsere Muskelkraft aber nur ein geringer Bruchteil im Verhältnis zu unserem Energiehunger' durch Technik'. In Deutschland verbraucht ein Durchschnittsbürger fast vierzig Mal mehr fremde Energie als unser Körper leistet. Die Frage muss daher lauten: Seit wie langer Zeit schon haben wir die verfügbaren Energieressourcen unserer World-Life-Arena' überfordert? Wie weit müssen wir zurück gehen, um die World-Life-Balance wieder zu erreichen? Das Ergebnis wird am Ende lauten, dass wir überall effektiver und sparsamer mit Energie umgehen müssen und an manchen Stellen mag wohl auch ein Verzicht erforderlich werden.

Auf dem Anstoßpunkt'

Vor dem Anstoß zur letzten Halbzeit noch schnell eine kurze Zusammenfassung:

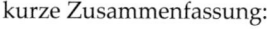

→ Wir sind Energiejunkies, denn unser Wohlstand' beruht auf der Nutzung fremder Energie.

→ Es reicht nicht, wenn wir uns individuell ändern, denn den größten Energiebedarf' haben nicht Haushalte' sondern Firmen'.

Wir haben bereits gesehen, dass die Klimakrise wie ein Tsunami in Zeitlupe abläuft. Wie geht eine Gesellschaft mit einem Problem um, das sich über mehrere Generationen hinzieht? Ein lebenslanges Problem, das bei den vielfältigen Herausforderungen des Lebens auch mal in eine hintere Reihe zurücktreten muss? Ein Problem, das trotzdem nicht ignoriert werden darf, auch wenn es manchmal nervt? Ein Problem, bei dem die bisherige Basis unseres Wohlstandes', nämlich das ,Verbrennen' ,fossiler Energieträger', abgeschafft und durch etwas Neues ersetzt werden muss?

Das Weltbild der World-Life-Balance ist nun fertig gestellt. Es geht ab jetzt um seine Anwendung. Wenn man Junkies ihren Stoff entzieht, dann erzeugt das bekanntlich Gegenreaktionen. Und weil wir alle Energiejunkies sind, ergibt sich daraus ein großes gesellschaftliches Konfliktpotential. Kann das Weltbild der World-Life-Balance einen Beitrag in diesem großen gesellschaftlichen Konflikt um die Klimakrise und die Energiewende leisten?

Verschwörungslügen

Ende 2014 wurde der Begriff „Lügenpresse" zum Unwort des Jahres gewählt. Vorausgegangen waren die sogenannten Pegida Demonstrationen seit Oktober 2014, auf denen die meist rechtsextremen Demonstranten den etablierten Medien mit diesem Begriff Parteilichkeit vorwarfen.

Lügen sind ja bekanntlich das Gegenteil von Wahrheit. In der Folge hat dieses Unwort des Jahres bei mir zu einem Nachdenken über unsere Wahrheitsfindung geführt. Dass 1+1=2 ergibt, ist eine zweifellos unbestreitbare Tatsache. Eindeutige Wahrheiten gibt es auch in der Physik: Rutscht eine Vase' über die Tischkante', dann wird sie anschließend von der Erdanziehungskraft in Richtung Boden beschleunigt, wo sie beim Aufprall womöglich zerbricht. Je mehr wir uns von mathematischen und physikalischen Tatsachen aber in Richtung auf die zwischenmenschliche Ebene begeben, desto weniger absolut wird der Begriff der Wahrheit. Da wird es dann schnell politisch – was dem einen als absolut eindeutige Wahrheit erscheint, ist für die andere vielleicht eine glatte Lüge. Eine absolute zwischenmenschliche und politische Wahrheit findet sich wohl wenigstens im Artikel eins des Grundgesetzes „Die Würde des Menschen ist unantastbar". Eine Wahrheit, bei der ich davon ausgehe, dass weit über neunzig Prozent aller Deutschen dieser Aussage zu-

stimmen. Also auch weit in jenes rechte Lager hinein, an dem die linke Seite des politischen Spektrums kein gutes Haar mehr erkennen kann.

Wo verlaufen die Grenzen zwischen Wahrheit, diskutierbarer Meinung und Lüge? Die Demonstranten auf den Pegida-Demos hatten offensichtlich

das Vertrauen in die etablierten Medien verloren. Sie hielten Aussagen für wahr, die in etablierten Medien vermutlich häufig als Lüge bezeichnet wurden. Wie kamen die Pegida-Demonstranten dazu? Und wie kommen Sie selbst zu Einschätzungen, ob für Sie etwas wahr, diskutabel oder gelogen ist?

In meiner ersten Lebenshälfte fand die Suche nach Wahrheit in Lexika' und zur Vertiefung manchmal noch in Bibliotheken' statt. Tagesaktuelle Diskussionen wurden durch Zeitungen' und Fernsehen' bestimmt. Das Internet' hat diese alte Informationswelt in den letzten dreißig Jahren revolutioniert. Das Wissen der ganzen Welt ist nur einen Mausklick entfernt und muss nur noch gefunden werden. Wenn ich im Netz' auf eher traditionelle Weise nach Informationen suche, dann sind Suchmaschinen' wie Google', Yahoo' oder Bing' der zentrale Einstieg. Nach der Eingabe des Suchbegriffs werden dann Trefferlisten von Websites' präsentiert, die dann hoffentlich die gesuchten Informationen enthalten. Um welches Thema es sich dabei handelt, spielt keine Rolle: Angebote', Schminktipps, die Umlaufzeit des Mondes um die Erde oder Fragen zur politischen Meinungsbildung – Google' & Co geben auf alles eine Antwort! Vertrauen Sie diesen Suchergebnissen? Bekanntlich können sich Anbieter durch Sponsoring in der Trefferliste ganz nach vorne drängeln. Die zuletzt hinzu gekommenen KI'-generierten Antworten erleichtern die Recherche, halten uns aber auch zunehmend von den eigentlichen Quell-Webseiten der KI'-Antworten fern. Hier droht die Gefahr von Verfälschungen! Ansonsten genießen Google' & Co aber ein meiner Meinung nach berechtigtes, hohes Ansehen. Zumindest bis zum Druckzeitpunkt im Frühjahr 2026 waren die amerikanischen

Suchmaschinen' so etwas wie der Goldstandard auf der Suche nach Wissen und Wahrheit im Internet'.

Dieses Vertrauen ist keineswegs selbstverständlich: Testen Sie beispielsweise einmal die beliebteste chinesische Suchmaschine' Baidu'! Vom Massaker auf dem Tian'anmen-Platz

Übersetzung: Der Tiananmen-Platz, der sich an der East Chang'an Avenue im Bezirk Dongcheng in Peking befindet, wurde mehrfach umgebaut und verändert. Schließlich entstand ein riesiger Platz mit einer Länge von 880 Metern von Norden nach Süden und einer Breite von 500 Metern von Osten nach Westen, der eine Fläche von 440.000 Quadratmetern umfasst. Er ist der größte städtische Platz der Welt. ...

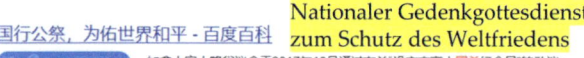

Übersetzung: Die Legislative Assembly von Ontario, Kanada, verabschiedete im Oktober 2017 einen Antrag zur Einführung eines Gedenktags für das Massaker von Nanjing. Die öffentliche Bibliothek von San Diego in den Vereinigten Staaten organisierte Veranstaltungen, um die Öffentlichkeit über die historischen Fakten des Massakers von Nanjing aufzuklären. ...

hat diese Suchmaschine' noch nie etwas gehört, denn im chinesischen Internet' gibt es keine Websites' über dieses Thema. Das ist fast so wie in George Orwells berühmten Roman' „1984", in dem ein totalitärer Überwachungsstaat die Vergangenheit manipuliert. Nur dass sich Orwell vor fast achtzig Jahren die ausgereiften Manipulationsmöglichkeiten des Internets' noch nicht vorstellen konnte, denn „wenn alle Korrekturen, die in einer Nummer der Times nötig geworden waren, gesammelt und kritisch miteinander verglichen worden waren, wurde diese Nummer neu gedruckt, die ursprüngliche vernichtet und an ihrer Stelle die richtiggestellte Ausgabe ins Archiv eingereiht." Was für altertümliche Manipulationstechniken George Orwell vor Augen hatte, wenn man bedenkt, auf welch subtile Art und Weise in der heutigen Internet'-Zeit unsere Wahrheitsfindung manipuliert werden kann!

Der Vorteil bei der Arbeit mit Suchmaschinen' ist, dass Sie selbst durch die Eingabe des Suchbegriffs die Initiative in der Hand behalten. Das Eintippen von Suchbegriffen und die Auswertung der Trefferlisten kann aber auch lästig werden, so dass alle möglichen Webanbieter' Ihnen das Leben über News-Feeds' und Push-Nachrichten' erleichtern möchten.

Ist Ihnen schon aufgefallen, dass da persönlich auf Sie zugeschnittene Nachrichten vorgeschlagen werden? Wenn Sie diese Angebote nutzen, dann gehen Sie bereits einen großen Schritt in Richtung auf eine potentiell manipulierte, von außen gesteuerte Wahrnehmung!

Ich habe eine Bitte an Sie: Tauschen Sie doch mal mit Ihrem Partner / Ihrer Partnerin oder mit Freunden das Handy' und schauen Sie sich deren News-Feeds' an! Raten Sie mal, bei wem eher Koch- oder Schminktipps und bei wem eher

Baumärkte' und Autos' vorgeschlagen werden! Erkennen Sie die enge, alters- und geschlechtsspezifische Vorsortierung? Die Wiederholung immer gleicher Themen? Eine Bestätigung der schon vorhandenen Weltanschauung? Was die Bandbreite der möglichen Themen der News-Feeds' angeht, so ist es wie bei den Suchmaschinen': Angebote', Schminktipps, die Umlaufzeit des Mondes um die Erde oder Fragen zur politischen Meinungsbildung – News-Feeds' geben auf alles eine Antwort! In erster Linie geht es den Anbietern natürlich um Ihre Aufmerksamkeit, aber bereits durch die dauernde Wiederholung Ihrer angenommenen Wunschthemen wird Ihre Meinung Stück für Stück durch einen programmierten Algorithmus' geformt.

Nun sparen Sie sich über die News-Feeds' das Eintippen des Suchbegriffs und die Auswertung von Trefferlisten. Sie müssen aber immer noch die Wahl treffen, welche News Sie denn sehen möchten. Das muss sich doch noch weiter vereinfachen lassen: In Sozialen Medien wie Instagram' oder TicToc' befeuern uns die Plattformen aktiv mit immer neuen Informationsschnipseln. Das ist ein wirklich kurzweiliger Zeitvertreib, bestückt mit Informationen von Freunden, Stars und Sternchen, die oft sehr kreativ erstellt sind. Sie müssen nichts mehr tun, nur noch konsumieren und sich berieseln lassen. Zweifellos haben fast alle Nutzer schon mal festgestellt, dass Insta' & Co zu Zeitfressern ohne Ende werden können. Denn das Ziel der Anbieter ist natürlich wieder Ihre möglichst lange, ungeteilte Aufmerksamkeit. Was die Bandbreite der möglichen Themen angeht, so ist es bei den Sozialen Medien erneut wie bei den Suchmaschinen' und den News-Feeds': Angebote', Schminktipps, die Umlaufzeit des Mondes um die Erde oder Fragen zur politischen Meinungsbildung – Soziale Medien geben auf alles eine Antwort!

Kommen wir zurück zur Ausgangsfrage dieser Halbzeit und dem Vorwurf der „Lügenpresse" auf den Pegida-Demonstrationen: Jede und jeder sollte sich im Klaren sein, dass wir uns alle in Filterblasen bewegen. Auch Qualitätsmedien wie ARD', ZDF', Spiegel', Die Zeit', Focus', Frankfurter Allgemeine' und viele andere filtern die Flut der Nachrichten, um dann auf die ihnen eigene Art und Weise zu berichten. Wenn sich vor allem die rechte Szene in Deutschland von diesen Medien nicht repräsentiert fühlt, dann mag das eine aus Sicht dieser Kreise berechtigte Meinung sein. Es stellt sich aber die Frage nach der Alternative und da hat die rechte Szene wohl bei einer Vielzahl von Influencern im Internet' ein für sie glaubhafteres Angebot gefunden. Es muss aber jeder und jedem klar sein, dass es sich hier um eine andere, viel engere Filterblase als bei den oben genannten Qualitätsmedien handelt. Bei Influencern gibt es keine Redaktion und keine zweite Meinung, die Hintergründe und Aussagen überprüft. Da hat der Post' sein Ziel erreicht, wenn die Aufrufzahlen stimmen und die Aufrufzahlen gehen besonders dann in die Höhe, wenn die Emotionen der Konsumierenden angesprochen werden. Die faktische Korrektheit spielt dann eine eher untergeordnete Rolle. Lügen sind schließlich in Deutschland nicht strafbar, jedenfalls so lange nicht die Persönlichkeitsrechte anderer betroffen sind.

Seit einigen Jahren droht so ein Wandel des Internets' vom phantastischen Lexikon' des Weltwissens hin zu einem Tummelplatz der Scharlatane und Betrüger. Besonders die Sozialen Medien haben hierbei ein hohes Manipulationspotential, weil die dort auf uns einstürzende Nachrichtenflut von einem unüberschaubaren Algorithmus' erzeugt wird. Ein Algorithmus', der unsere Meinungen beeinflusst und von wenigen mächtigen Konzernen gemanaged wird. Wer war doch gleich die Lügenpresse?

Was kann jede und jeder Einzelne in dieser Situation tun? Die Erkenntnis, dass Sie selbst in einer Filterblase stecken, ist der erste Schritt zu einem Ausweg. Tun Sie immer wieder etwas, um aus dieser Blase herauszukommen und Ihren Weitblick zu vergrößern!

Falls Sie politisch links stehen, dann lesen Sie auch mal Blätter wie den Focus' oder die Frankfurter Allgemeine'! Folgen Sie auf Insta' oder

TikTok' auch Klimaleugnern! Versuchen Sie, mit ihnen in Kontakt zu treten und deren Gründe zu verstehen! Falls Sie politisch rechts stehen, dann manchen Sie es bitte genau umgekehrt! So böse, wie Sie vermuten, sind die Menschen auf der scheinbar gegnerischen Seite meistens nicht.

Zuletzt gibt es in diesem Abschnitt über Wahrheit und Lüge im Internet' einen Beispielblick über den nebenstehenden QR-Code in die möglichen Abgründe der Sozialen Medien. In den letzten Jahren hat sich dort eine Esoterik- und Mystikwelle ausgebreitet, die sich häufig mit frei erfundenen Geschichten ein Geschäftsmodell aufgebaut hat. Wenn es nur nicht so traurig wäre, müsste man eigentlich drüber lachen. Tatsächlich ist es aber einfach nur zum Heulen, auf welch dreiste Art da teilweise leichtgläubige Menschen um ihr Erspartes gebracht werden.

Das beste Drehbuch für eine Verschwörungsgeschichte

Gerade im letzten Beispiel haben wir gesehen, dass Verschwörungsgeschichten aus dem Nichts heraus geschaffen werden können: Ohne irgendwelche Fakten kann eine gut erfundene Lügengeschichte zu einem einträglichen Geschäftsmodell führen und leichtgläubigen Kunden die Taschen' leeren. Wie viel einfacher muss es da für Verschwörungstheoretiker sein, aus einem realen Problem eine Verschwörungsgeschichte zu machen, vor allem, wenn das Problem möglichst abstrakt, unverstanden und komplex ist.

Die Klimakrise erfüllt leider alle Anforderungen an eine solche Steilvorlage für alle Verschwörungstheoretiker:

Es ist ein abstraktes Problem: Die Treibhauswirkung von CO_2 ist kein Teil unseres täglichen Erfahrungsschatzes. Weil unsere Sinne CO_2 kaum wahrnehmen, können wir auch den wachsenden CO_2-Anteil der Atmosphäre nicht spüren. Noch unüberschaubarer ist der Tatsache, dass dieser wachsende CO_2-Anteil die direkte Folge des Konsums fossiler Rohstoffe' von über acht Milliarden Menschen ist – und damit auch die direkte Folge unseres individuellen Verhaltens.

Es ist ein unverstandenes Problem: Für den Umgang mit der Klimakrise hat unsere Gesellschaft keine geschichtliche Vorlage. Die Auswirkungen eines allmählichen Anstiegs der mittleren Temperatur können wir Gewohnheitstiere nur schwer emotional verstehen, denn wir leben im Hier und Jetzt und nicht im Mittelwert der letzten drei Jahrzehnte. Dieser Mechanismus und seine lange Dauer sind neu für uns. Wir kennen uns mit Zeitlupen-Tsunamis nicht aus, also mit einem Problem, das unsere gesamte Lebenslänge überragt.

Es ist ein komplexes Problem: Die Bekämpfung der Klimakrise ist eine Herkulesaufgabe. Unser Wohlstand' beruht auf einer nahezu grenzenlosen Verfügbarkeit von Energie. Energie, die wir seit eineinhalb Jahrhunderten zum übergroßen Teil aus dem Verbrennen' fossiler Rohstoffe' gewinnen. Eine Wende zu erneuerbaren Energien berührt daher die DNA unserer Gesellschaft. Wenn Maßnahmen nicht klar erklärt werden, fühlen Menschen sich vielleicht fremd bestimmt und um ihre Freiheit betrogen.

In der Folge werden Verschwörungsgeschichten zur Klimakrise in allen möglichen und unmöglichen Variationen erfunden:  Mal existiert die Klimakrise gar nicht, mal ist eine Erwärmung der Erde wünschenswert oder eine Folge natürlicher Abläufe ohne menschlichen Einfluss. In anderen Versionen dieser Lügengeschichten hat sich das Sonnensystem insgesamt erwärmt, stammt das CO_2 aus Vulkanausbrüchen oder von finsteren Mächten, die unsere Freiheit beschränken wollen. Auch wenn die Verschwörungsgeschichten an sich sehr unterschiedlich sind, so ist deren Ergebnis immer gleich: Ihr könnt weiter machen wie bisher! Offensichtlich ist also der Wunsch nach einem Business as usual die eigentliche Triebfeder und dann wird von den Schwurblern eine Erklärung zur Erfüllung des Wunsches erfunden. Die Fantasie der Verschwörungstheoretiker kennt keine Grenzen, erst recht nicht durch Fakten. Aufbauend auf derartigen Verharmlosungen der Situation werden dann auch Maßnahmen zur Eindämmung der Klimakrise gerne pauschal abgelehnt, denn wo es kein Problem gibt, braucht es auch keine Lösung. Schließlich wollen wir unseren bequemen Alltag zuallerletzt durch derart ferne Probleme wie die Klimakrise einschränken lassen!

Auf der anderen Seite liegen die Fakten zur Klimakrise seit Jahren als wissenschaftlicher Konsens auf dem Tisch. Woran liegt es dann, dass so viele Menschen die Fakten ausblenden und auf Verschwörungslügen zur Klimakrise hereinfallen? Ich denke, dass es da einen zentralen Punkt gibt, der eigentlich ein wertvoller Schatz ist, der aber an die Realität angepasst werden muss: Wir sind alle mit mehr oder weniger Urvertrauen ins Leben gestartet. Urvertrauen, das sich auf unsere Eltern stützt, auf die Sie sich hoffentlich immer verlassen konnten. Auch auf Freunde, die uns beistehen. Ich hoffe, dass Sie sich viel von diesem wertvollen Urvertrauen bewahrt haben! Noch viel selbstverständlicher als auf unsere soziale Unterstützung verlassen wir uns darauf, dass die Erde morgen noch die Gleiche ist wie heute, dass Bäume im Frühjahr Laub bekommen und es im Herbst wieder verlieren, dass Getreide auf den Feldern wächst und unsere Grundbedürfnisse nach Essen und Trinken erfüllt werden – wenigstens in Deutschland. So trägt nahezu jeder Mensch seit der Kindheit ein Urvertrauen in die Erhabenheit der Erde und die Unwandelbarkeit unseres wunderbaren Heimatplaneten mit sich herum.

Dieses naive Weltbild macht es Verschwörungstheoretikern leicht, ihre Geschichten so zu erzählen, dass sie auf Resonanz treffen: Wie sollten wir kleinen Menschen denn unseren unwandelbaren Planeten kaputt machen können? Diese Klimaaktivisten müssen doch von etwas ganz anderem angetrieben sein! Doch dieses naive Wohlfühl-Weltbild ohne eigene Verantwortung muss erwachsen und realistisch werden, damit wir Verantwortung übernehmen und Verschwörungslügen erkennen können. Daher möchte ich mit dem realistischen Weltbild der World-Life-Balance hier ein paar Korrekturen anstoßen:

Es ist gerecht und realistisch, die Erdoberfläche auf alle Menschen gleich aufzuteilen, um die menschliche Belastung der Erde abzuschätzen. Vom Anstoßpunkt' Ihrer World-Life-Arena' können Sie in jeder Richtung die Begrenzung Ihres Lebensraums erkennen. Nur einer Ihrer vier Sportplätze' ist nicht von Meer bedeckt und nur das Fußballfeld' im Innenraum bietet fruchtbare Anbaufläche. Eine Spielfeldhälfte' haben Sie in landwirtschaftlich genutzte Fläche verwandelt und damit die unveränderte Natur bereits auf die Hälfte ihrer ursprünglichen Ausdehnung zurückgedrängt. Als Deutscher fördern und verbrennen Sie jeden Monat den fossilen Energieinhalt' von einer Badewanne' voll Erdöl' und entlassen das entstandene CO_2 in Ihre überschaubare World-Life-Atmosphäre. Dort wächst die CO_2-Schicht als Folge Ihres Handelns langsam und kontinuierlich vor Ihren Augen an, so dass sich die Erde allmählich erwärmt: Ja, auch in einem realistischen Weltbild ist die Erde wunderbar und erhaben, aber sie ist nicht unwandelbar. Vielmehr ist die Erde verletzlich und wird aktuell auch durch Ihr und mein Leben als eines von über acht Milliarden Individuen überlastet und gefährdet.

Wenn Sie dieses Weltbild erst einmal verinnerlicht haben, dann sollten die Verschwörungslügen zur Klimakrise einfach an Ihnen abprallen: Die Klimakrise soll nicht menschengemacht sein? Sie können ihre World-Life-Arena' doch in alle Richtungen überblicken: Natürlich verändern wir Menschen die Erde! Oder wollen etwa finstere Mächte über den Umweg einer erfundenen Klimakrise die Macht übernehmen? Wenn Sie als deutscher Durchschnittsmensch badewannenweise Öl' verbrennen: Wer hat denn wohl Angst um sein Geschäftsmodell, wenn das zerstörerische Verbrennen' fossiler Energieträger' beendet werden soll?

Bei Diskussionen um Klimaschutzmaßnahmen ist die Sache zweifellos nicht ganz so eindeutig. Nichts im Leben ist perfekt und es muss im Detail um den besten Weg gerungen werden. Beispielsweise darf und muss über Windräder diskutiert werden, nach welchen Regeln sie aufgestellt werden und wie es mit ihrer Wirtschaftlichkeit aussieht. Wenn aber jemand von „Windmühlen der Schande" spricht, dann basiert eine solche Aussage ganz offensichtlich auf dem oben beschriebenen naiven Wohlfühl-Weltbild, in dem es keine menschengemachte Klimakrise geben kann. Schlussfolgerungen, die von einem derartigen Weltbild abgeleitet werden, sind dann genauso naiv und gefährlich falsch. In Anbetracht der ansonsten häufig bedenklichen, realen Entwicklung der Klimakrise kann ich mich jedenfalls über die schöne Menge an „Windmühlen der Hoffnung" freuen, die ich als Skyline meiner norddeutschen Tiefebene vor mir habe.

Ein Weltbild verändert keine Weltanschauung

Wikipedia sagt, dass ein „Weltbild die Vorstellung der erfahrbaren Wirklichkeit als Ganzes" umfasst. Da unser Heimatplanet unseren verfügbaren und nicht erweiterbaren Lebensraum als Ganzes darstellt, präsentiert die World-Life-Balance ein solches Weltbild, zugeschnitten auf eine emotional erfassbare, individuelle Größe. Falls es mit diesem Buch' gelingen sollte, Ihnen ein realistisches Weltbild näher zu bringen, dann hat es sein Ziel erreicht.

Unabhängig von diesem Ziel sind Sie selbstverständlich frei, Ihre persönlichen Wertungen, Vorstellungen und Sichtweisen beizubehalten oder weiterzuentwickeln: Ihre Weltanschauung sollte Ihnen niemand streitig machen, sondern wir sollten uns hier mit gegenseitigem Respekt begegnen. Befürworten Sie vielleicht eine stärkere nationale Ausrichtung der Politik oder ist Ihnen eher der Multilateralismus ein Herzensanliegen? Die eine ist Atheistin, der andere Buddhist, Christin, Hindu, Jüdin oder Moslem. Der eine verwendet das generische Maskulinum, die andere spricht von Mitbürger*innen. Um derartige Weltanschauungsfragen geht es in diesem Buch' nicht. Ihre Weltanschauung darf gerne unverändert bleiben. Man kann und sollte zwar darüber diskutieren, gerne auch engagiert und intensiv, aber bitte immer mit Respekt und dem Verständnis, dass es sich hier um keine absoluten, physikalisch nachweisbaren Wahrheiten handelt. Weltanschauungen sind individuell und sollen es auch bleiben.

In diesem Buch' geht es dagegen um unser Weltbild, also um unser praktisches Abbild der Erde, auf der wir leben. Anders als bei Weltanschauungen nützt es wenig, die Realität zu verleugnen. Man muss die Realität nur akzeptieren, um anschließend verantwortungsvoll mit ihr umzugehen.

Auf dem Anstoßpunkt'

Bevor wir in die Verlängerung starten, bewerten wir alle Kernaussagen des Weltbildes der World-Life-Balance auf ihren Wahrheitsgehalt. Lassen Sie uns dafür das gesamte bisherige Spiel zusammenfassen:

1. Das Bild Ihrer World-Life-Arena' gibt Ihnen einen realistischen Eindruck von den planetaren Grenzen der Erde.

2. Ihre World-Life-Atmosphäre weist auf die Achillesferse dieser verletzlichen Welt hin: Eine dünne Schicht CO_2.

3. Die Menschen vergrößern den CO_2-Anteil ihrer World-Life-Atmosphäre durch das Verbrennen' fossiler Energiequellen' immer weiter.

4. Die Klimakrise läuft wie ein Tsunami in Zeitlupe ab. Sie hat sich während Ihres gesamten Lebens kontinuierlich beschleunigt. Auch Ihre Kinder und Enkel werden ihr ganzes Leben lang von der Klimakrise betroffen sein.

5. Das Ziel lautet: Wir müssen aufhören, Öl', Erdgas' und Kohle' zu verbrennen.

6. Es reicht nicht, wenn wir uns individuell ändern, denn den größten Energiebedarf' haben nicht Haushalte' sondern Firmen'.

7. Wir sind Energiejunkies, denn unser Wohlstand' beruht auf der Nutzung fremder Energie.

8. Ohne ein realistisches Weltbild zum Zustand unseres Heimatplaneten sind wir anfällig für Verschwörungsgeschichten. Hier kann die World-Life-Balance vor Täuschungen schützen.

Am Anfang dieser Halbzeit stellte sich bereits die Frage, wo die Grenzen zwischen Wahrheit, diskutierbarer Meinung und Lüge verläuft. Wie beantworten Sie diese Frage in Bezug auf die acht Punkte dieses Fazits?

Die Punkte eins, zwei und drei beruhen auf einfachen Überschlagsrechnungen, die mit den Grundrechenarten Plus, Minus, Mal und Geteilt nachvollziehbar sind, also im Prinzip mit nicht viel mehr als Grundschulwissen. Viele mehr oder weniger wichtige Details wurden bewusst ausgeklammert, denn auf die letzte Nachkommastelle kommt es bei diesen Überschlagsbetrachtungen nicht an. Das Buch' fokussiert sich nämlich auf den Elefanten im Raum: Die menschengemachte Erhöhung des CO_2-Gehalts der Luft durch das Verbrennen' fossiler Energieträger' und die daraus folgende Erderwärmung. Wenn Sie diese Vereinfachungen berücksichtigen, dann handelt es sich bei diesen ersten drei Punkten folglich um Aussagen, die genau so wahr sind wie auch 1+1=2 wahr ist.

Die Punkte vier bis sechs sind ebenfalls wahr, aber sie sind nicht mehr mit den vier Grundrechenarten zu kontrollieren. Diese Punkte sind ein kurz zusammengefasster Konsens der Klimaforschung.

Im Gegensatz dazu sind die Punkte sieben und acht Diskussionsbeiträge. Sie sind ein Versuch, das Verhalten der Gesellschaft auf die Klimaschutzmaßnahmen zu verstehen.

Nun ist das Weltbild der World-Life-Balance erzählt. Wie geht es weiter?

Das Spiel Ihres Lebens

Die Idee, die Erdoberfläche durch die Anzahl der Menschen zu teilen und so ein reales Bild von der Größe der Erde zu bekommen, entstand im Jahr 2019. Mit der so entstandenen World-Life-Arena' war die Überlastung unseres Heimatplaneten mit einem Schlag klar verständlich: Die reale Größe des verfügbaren Lebensraumes eines Menschen besteht aus nur einem Sportplatz' Landfläche und drei Sportplätzen' Meer – mehr stellt uns das Universum nicht zur Verfügung! Es dauerte einige Jahre, bis sich aus der einfachen Anfangsidee ein umfassendes Weltbild entwickelte. Ein Weltbild, bei dem die Erwartung auf der Hand liegt, dass die Erde durch die Art unseres bisherigen Handelns aus der Balance geraten wird. Ein Weltbild, bei dem es keine Überraschung ist, wenn die wissenschaftliche Gemeinschaft genau diese Kernaussage als Konsens immer wieder bestätigt. Die World-Life-Balance ist nicht mehr gegeben.

Der konkrete Anlass zu diesem Buch' waren eine Reihe von Gesprächen über Elektromobilität'. Es sollte jedem klar sein, dass Verbrenner' niemals Teil einer klimafreundlichen Lebensweise sein können. Das Gerede über e-Fuels' oder hocheffiziente Verbrenner' bewegt sich auf der Wahrheitsskala hart an der Grenze zur Lüge – Sie erinnern sich den Energieverbrauch von Verbrennern' im Vergleich zu e-Autos'? Meine Diskussionen über e-Autos' drehten sich meistens um die Themen Technik, Verlässlichkeit und Kosten, wobei sich das Thema Kosten in meinem ländlichen Umfeld längst umgedreht hat: Auf dem Land haben fast alle Menschen die Möglichkeit, ihr e-Auto' über den heimischen

Stromzähler' günstig zu laden. Bei einer Eigentumsquote von über fünfzig Prozent könnte sich sogar eine Mehrheit eine Solaranlage' aufs Dach' stellen. Wenigstens im Sommerhalbjahr kostet das Autofahren' dann praktisch gar nichts mehr. Blieben also noch die Themen Technik und Verlässlichkeit und da waren es dann diese ein-Prozent-Argumente, die meine Gesprächspartner als Begründung für Ihre Ablehnung nannten: Ja, so ein e-Auto' passt schon in meinen Alltag, aber was ist, wenn ich einmal im Jahr in den Urlaub' fahren möchte? Wenn ich alle paar Monate mit Anhänger' fahren will? Wenn der Akku' kaputt geht (was statistisch gesehen fast nie der Fall ist)? Wenn ich meine Tante in Klein Kleckersdorf besuchen will und die einzige Ladesäule' dort belegt sein könnte?

Für eine Antwort fehlten mir oft die Worte, denn natürlich findet man bei e-Autos' irgendwo immer noch ein Haar in der Suppe, aber eigentlich hätte ich dieses Weltbild erklären müssen: Stell Dir Deine World-Life-Arena' vor! Wo kommen denn die im Schnitt circa tausend Liter Benzin' im Jahr her? Was passiert mit Deiner World-Life-Atmosphäre, wenn Du weiterhin jedes Jahr ungefähr zweieinhalb Tonnen CO_2 aus Deinem Auspuff' hineinbläst? Statt einer Antwort in vielen Worten gibt es nun das Weltbild der World-Life-Balance, das hoffentlich für sich selbst spricht.

Fast alles im Leben ist eine Frage der Priorität. Für viele Menschen, die sich im Jahr 2025 in Deutschland ein neues Auto' gekauft haben, hatte der Klimaschutz offensichtlich eine sehr untergeordnete Prio, denn die große Mehrheit hat sich dabei gegen ein e-Auto' entschieden. Dann müsste aber doch wenigstens der niedrigste Spritverbrauch' die oberste Priorität beim Kauf eines Verbrenners' sein! Wie kann es dann sein, dass der durchschnittliche Spritverbrauch' in

Deutschland nicht sinkt? Ob es vielleicht daran liegt, dass die Mehrzahl der Menschen ein unrealistisches oder auch gar kein Bild ihrer World-Life-Balance hat?

Was mich zum Schreiben dieses Buchs' antrieb, war erst in zweiter Linie die Größe des Problems der Klimakrise. Das ließe sich lösen, wenn sich die Menschen in ihren Entscheidungen am realen Problem orientieren würden. Was mich umtreibt, ist das fehlende gesellschaftliche Bewusstsein über den heran rollenden Zeitlupen-Tsunami. Ein Buch' über ein realistisches Weltbild in der Klimakrise musste her.

Wenn Sie auf die Welt schauen, was sehen Sie? Die Menschen treffen auf alle möglichen Herausforderungen, die sie meistern müssen. Ich kann nicht sehen, was Sie sehen. Aber ich habe ein Weltbild, sehr klar und wahr: Dass es die Atmosphäre verändert, wenn die Menschheit ihr Spielfeld weiter so ausbeutet wie bisher.

Nun ist es aber an der Zeit, nicht nur im Anstoßkreis' herumzustehen und zu schauen, sondern endlich den Ball' auf den Anstoßpunkt' zu legen und auf den Anpfiff zu warten: Spielen Sie das Spiel Ihres Lebens! Es soll ein gutes Spiel voller Chancen und Möglichkeiten sein. Hoffentlich erkennen Sie viele Anlässe, das Leben zu feiern! Bedenken Sie aber bei jedem weiten Flankenschlag, dass Ihr Lebensraum begrenzt ist, denn wenn Sie die Flanke verziehen, dann hat sie das Potential, Ihre World-Life-Arena' zu verlassen! Sie haben eine ganze Reihe Mitspieler auf dem Feld, die Sie schon durch Ihr ganzes Leben begleiten, die Ihr Leben bisher angenehm gemacht haben und die Ihnen häufig wie ein Freund vorkommen. Nach dem Lesen dieses Buchs' haben Sie vielleicht erkannt, dass diese Mitspieler auf die Dauer gesehen ziemlich unheimliche und zerstörerische Gegner sind: Nein, ich meine keine Menschen, denn Sie sollten keine Menschen zum Gegner haben, sondern ich meine die veralteten Technologien aus dem untergehenden Zeitalter des Verbrennens' fossiler Energieträger'. Sie sollten diese Technologien möglichst konsequent aus dem Spiel Ihres Lebens herausnehmen. Sei es, dass Sie sie aus dem zentralen Lebens-Mittelfeld ins Abseits befördern oder sei es, dass Sie die alten Verbrenner'-Technologien mit einer Roten Karte von Ihrem Spielfeld verweisen. Aber am besten funktioniert ein Verdrängen der alten Verbrenner'-Techniken, indem Sie eine Auswechslung vornehmen: Es stehen bereits eine Reihe leistungsfähiger, zukunftsweisender Auswechselspieler am Spielfeldrand und warten auf ihre Einwechslung. Sie müssen es nur tun. Und falls Ihnen eine Regeländerung diese Einwechslung vorschreiben sollte, dann freuen Sie sich über das Verschwinden eines fossilen Gegners!

Ich hoffe, dass das Weltbild der World-Life-Balance für Sie eine Hilfe bei Entscheidungen werden kann. Eine lange Zeit der Vernunft ist erforderlich. Aufgeben oder nichts tun bedeutet, das sich weiter verschärfende Problem der Klimakrise an unsere Kinder und Enkel abzuschieben. Vielleicht orientieren Sie sich daher an dem etwas altmodischen, fast vergessenen, leicht angepassten Spruch der Nachkriegsgeneration:

Meine Kinder sollen es einmal nicht schlechter haben als ich!

Danke!

In Stephan Ferenz hatte ich einen konstruktiven Kritiker, der mich inhaltlich kommentiert und vorangebracht hat. Seine Anregungen erforderten, dass das Manuskript in eine positive Ehrenrunde gegangen ist.

Tipp-, Grammatik- und Rechtschreibfehler hat Jenny M. Döhl gefunden und korrigiert. Falls doch noch Fehler übriggeblieben sein sollten, so liegt das an mir. Gelacht haben wir beide, als sie nach ungezählten Löschvorgängen der grammatisch falschen ‚ schließlich auf Seite 77 auf die Absicht hinter den Apostrophen stieß. Vor allem aber hat Jenny die Idee der World-Life-Balance erfasst. Danke für Dein Engagement und die Unterstützung!

Meine Frau Astrid musste in den letzten eineinhalb Jahren häufig auf mich verzichten. „Woran denkst du gerade?" war ihre häufig berechtigte Frage, wenn meine Gedanken auch bei gemeinsamen Aktivitäten mal wieder zu diesem Buch' abgeschweift waren. Danke, dass Du mich trotzdem bei diesem Projekt unterstützt!

Ein Weltbild im Klimawandel wäre komplett unvollständig, wenn es nur aus Worten bestehen würde. Deshalb bin ich Miriam Kramer sehr dankbar für den fünfteiligen Bilderzyklus, den Sie während des Lesens bereits genießen durften. Ihre künstlerische Art, auf die ich zuerst über ihren Webshop' www.demim.de aufmerksam wurde, passt zu meinen Ideen, wie ein solches Weltbild darzustellen ist. Falls Sie das Lesen eines Buchs' immer als anstrengend empfinden, dann erfahren Sie jetzt ganz am Ende, dass es auch ohne gegangen wäre: Die fünf Bilder erzählen auf ihre eigene Art  die vollständige Geschichte Ihrer World-Life-Balance. Die Illustrationen sind lizenzfrei über den abgedruckten Link verfügbar und stehen Ihnen zur freien Verwendung zur Verfügung.